삶으로 가르치는 것만 남는다

school

우리는 도서관이 좋아요.

학교에서 준비물을 나눠 주어요.

우리는 말씀 위에서 자라나요.

우리 학교 벽에서는 페인트 냄새가 안 나요.

정수된 물 입니다.
Filtered Water

우리 학교 수도꼭지 깨끗하죠?

나를 자유롭게 표현하는 게 재밌어요.

우리들을 위한 소변기가 따로 있어요.

수원중앙기독초등학교 김요셉 목사의 그림 에세이

삶으로 가르치는 것만 남는다

지은이ㅣ 김요셉
초판발행ㅣ 2006. 10. 20.
31쇄발행ㅣ 2011. 4. 5.
등록번호ㅣ 제 3-203호
등록된 곳ㅣ 서울시 용산구 서빙고동 95번지
발행처ㅣ 사단법인 두란노서원
영업부ㅣ 2078-3333 ᶠᴬˣ 080-749-3705
출판부ㅣ 2078-3477

▌책값은 뒤표지에 있습니다.
ISBN 89-531-0711-3 03230

▌독자의 의견을 기다립니다.
tpress@duranno.com http://www.Duranno.com

두란노서원은 바울 사도가 3차 전도 여행 때 에베소에서 성령 받은 제자들을 따로 세워 하나
님의 말씀으로 양육하던 장소입니다. 사도행전19장 8-20절의 정신에 따라 첫째 목회자를 돕
는 사역과 평신도를 훈련시키는 사역, 둘째 세계선교(TIM)와 문서선교(단행본 · 잡지)사역, 셋
째 예수문화 및 경배와 찬양 사역, 그리고 가정 · 상담 사역 등을 감당하고 있습니다. 1980년
12월 22일에 창립된 두란노서원은 주님 오실 때까지 이 사역들을 계속할 것입니다.

수원중앙기독초등학교
교목 김요셉 목사의 그림 에세이

삶을 가르치는 것만 남는다

김요셉 지음

두란노

| 차례 |

>>으로 가르치는 기독학
남는다

3부 어떻게 가르칠 것인가 : 관계를 통해서

4부 왜 가르치는가 : 안 닮기 위해서

5부 자녀를 제자 삼는 부모를 위한 7가지 티칭 포인트

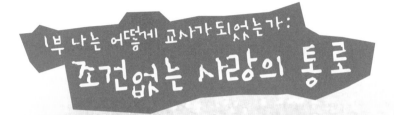

1부 나는 어떻게 교사가 되었는가:
조건없는 사랑의 통로

기독교 교육학은 자매들이나 하는 것이라는 편견 속에서도 내가 꿋꿋하게 즐겁게 공부할 수 있었던 것은 예수님은 신학가이기 전에 교육가라는 생각 때문이었다. 그래서 나는 교육에 종사한다는 것에 대단히 자부심을 느낀다. 예수님은 가르침이 중요하다는 걸 알고 계셨고 잘 가르치는 방법을 알고 계셨다. 그런데 예수님의 교육 철학은 무엇이었을까.

성경은 교육학 책이 아니다. 예수님이 배움에 대해 구체적으로 언급한 장면은 그다지 많지 않다. 하지만 하나님은 내게 마태복음 11장 말씀을 찾게 하셨다.

마태복음은 1-11장까지는 대중을 대상으로 가르치셨던 예수님을, 12장에서부터 마지막 장까지는 제자들을 양육하시는 예수님을 기록하고 있다. 예수님은 70명이나 되는 제자들을 가르치셨고, 마태복음 11장 25-27절에 이르러 그들을 둘씩 짝 지어 직접 복음을 전파하도록 실습을 내보내셨다.

제자들이 실습에서 돌아와서 여러 가지 보고를 했다. 충격적인 것은 예수께서 권능을 가장 많이 베푸신 고을들이 회개치 아니하므로 그때에 책망하시되 화가 있을진저(마태

복음 11:20-22) 말씀하신 것처럼, 예수님이 가장 많은 권능을 베푸신 마을, 그렇지만 실패하신 마을에서 제자들은 승리했다는 소식을 가져온 것이다.

예수님은 실패하셨는데, 제자들은 승리하다니! 이것은 역설이다. 이때 예수님의 심정은 어떠했을까? 이 역설적 상황을 품은 예수님의 반응은 세 가지였다. **예수님은 먼저 하나님께 기도하셨다.** 그때에 예수께서 대답하여 가라사대 천지의 주재이신 아버지여 이것을 지혜롭고 슬기 있는 자들에게는 숨기시고 어린아이들에게는 나타내심을 감사하나이다 옳소이다 이렇게 된 것이 아버지의 뜻이니이다(마태복음 11:25-26) **제자들에게 아버지와 아들이 서로 아는 관계 중심적 앎에 대해서 가르치셨다.** 내 아버지께서 모든 것을 내게 주셨으니 아버지 외에는 아들을 아는 자가 없고 아들과 또 아들의 소원대로 계시를 받는 자 외에는 아버지를 아는 자가 없느니라(마태복음 11:27) **마지막으로 안식에 참여하자고 회중들에게 초청하셨다.** 수고하고 무거운 짐 진 자들아 다 내게로 오라 내가 너희를 쉬게 하리라 나는 마음이 온유하고 겸손하니 나의 멍에를 메고 내게 배우라 그러면 너희 마음이 쉼을 얻으리니 이는 내 멍에는 쉽고 내 짐은 가벼움이라 하시니라(마태복음 11:28-30)

예수님은 기도하고, 가르치시고, 초청하셨다.
이것이 예수님의 교육 철학이다.

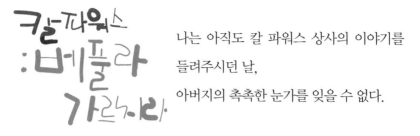

나는 아직도 칼 파워스 상사의 이야기를
들려주시던 날,
아버지의 촉촉한 눈가를 잊을 수 없다.

"요셉아, 내가 네 이름을 왜 요셉이라고 지었는지 아니?

성경의 요셉을 보렴.

요셉은 형제들에게 시샘을 받아서 애굽의 노예로 팔려 가지 않았니?

보디발의 아내의 유혹도 물리칠 만큼 하나님 앞에 정결했지만,

모함을 받아 감옥에서 13년이란 세월을 보내야 했다.

그때 요셉의 마음은 어땠을까?

그때 요셉은 자신이 나중에 국무총리가 될 것을 미리 알았을까?

그래서 그 고난 가운데 있었을 때 잘 참아낼 수 있었을까?

아니. 요셉은 몰랐어.

하지만 하나님은 그를 연단하신 후에 국무총리로 만드셨어.

우리의 삶은 결국 하나님 손에 달려 있어.

요셉아, 아버지가 얘기 많이 해 줬지?

아버지가 어떻게 목사가 되었는지 말이야."

17살의 아버지는 경산의 사과나무 아래서 하모니카를 불고 있었다.

"빌리 김, 미국에 가고 싶니?"

칼 파워스 상사였다. 아버지는 깜짝 놀랐다.

'내가 미국을….'

고등학교 진학를 포기해야 했을 만큼 아버지의 집안은 가난했다.

아버지가 철도고등학교 입학 시험을 보러 서울로 가는 날

6·25 동란이 터졌다.

아버지는 할 수 없이 수원으로 다시 내려와야 했다.

전쟁중, 수원에도 미군 부대가 내려왔다.

한 미군이 뭘 해 오라고 손짓발짓을 했는데,

용케도 아버지는 그것이 나무 해 오라는 소리라는 것을 알아차리고

논두렁의 말뚝을 뽑아갔다.

그것을 기특하게 여긴 미군이 하우스보이로 취직을 시켜 주었다.

성실한 아버지는 미군들의 인기를 끌었다고 했다.

전세가 엎치락뒤치락하면서

미군이 경산까지 밀려 내려갔을 때도 아버지는 함께 이동했다.

그곳에서 아버지는 뜻밖의 제의를 받은 것이다.

칼 파워스 상사는 아버지를 입양하는 셈치겠다고 했다.

"이 전쟁 속에서 한 생명이라도 건져내고 싶어!

너 미국 가서 공부하지 않을래?"

아버지는 처음에 그의 말을 의심했다고 한다.

'왜 내게 이런 호의를 베푸는 것이지? 정말일까?'

하지만 칼 파워스 상사는 아버지를 데리고 미국에 가려고

6개월에 한 번씩 돌아오는 귀국 기회를 5번이나 포기했다고 한다.

그가 빨리 귀국하기만을 기다리는 부모님의 바람을 뒤로 한 채.

3만4천 명의 미군이 죽고

미군들 대부분이 빨리 고국으로 돌아가려고 애쓰던 그때….

그렇다고 해서 그가 부자였던 것은 아니다.

칼 파워스 상사는 아팔레치아 산맥의 한 탄광촌에서 태어났다.

그가 태어난 마을은 학교가 하나 있을 뿐,

변변한 가게 하나 없는, 고작 10가구가 모여 사는 산속 마을이었다.

그가 고등학교를 졸업했을 때 한국 전쟁이 터졌다.

가난 때문에 그는 군에 자원했던 것이다.

칼 파워스 상사는 아버지를

미국의 유명 기독교 사립 고등학교인 밥 존스 고등학교에 입학시켰다.

자신은 돈을 빨리 벌려고 사립대를 포기하고 2년제 교대에 입학했다.

아버지의 학비를 댈 돈을 모금하기 위해서

지역 신문에 빌리 김의 이야기를 싣기도 했다.

자신의 형과 거리에서 모금 공연을 하기도 했다.

가난한 탄광촌 사람들의 온정으로 아버지는 대학 공부도 할 수 있었다.

아버지가 공부를 끝마치고 다시 한국에 돌아간 뒤에야

칼 파워스는 대학에 들어가서 공부를 다시 시작했다.

그는 아버지를 통해,

아이들에게 무한한 가능성이 있다는 것을 알았다고 했다.

학교를 은퇴한 지금까지도 그는 전기도 들어오지 않는 그 산골에서

아이들에게 꿈을 심어 주는 일을 하고 있다.

혼기를 놓쳐서 결혼도 못한 채 평생 홀로 살아가고 있다.

"요셉아, 아버지는 그분에게서 하나님의 조건 없는 사랑을 경험했어.

그분의 조건 없는 사랑 덕분에 아버지는 예수님을 만났고,

미국에서 공부하고 목사가 될 수 있었어.

나는 내가 이런 사람이 되리라고는 생각하지도 못했지.

보잘것없는 미군 하우스 보이를 하나님은 이렇게 인도하셨어.

그래서 나는 너뿐만 아니라, 다른 청년들 중에서도 반드시 나와 같이

하나님의 계획하심이 있는 사람이 있을 거라고 생각해.

그래서 그들을 교육시키고 싶단다.

그것이 하나님의 섭리에 쓰임을 받는 또 다른 축복이지.

요셉아, 하나님이 너의 삶도 이렇게 인도해 주실 거야."

그때 나는 아버지의 말뜻을 다 이해하지는 못했지만,

우리 집에 왜 그렇게 형들이 많이 들락거리는지는 알 수 있었다.

30명이 넘는 사람들이 함께 수저를 들곤 했던 식사 시간.

지금은 어엿한 목사님이 되신 송용필, 백이선 목사님,

극동방송 부사장, 수도침례신학교 교목실장을 지내셨던 분들….

지구촌교회 이동원 목사님도 아버지의 도움으로 신학 공부를 하셨다.

지금까지 아버지가 전도해서 키우신 분들 중에서

목회를 하시는 분이 80분에 달한다.

아버지는 자신을 힘들게 했던 사람들까지 거리낌없이 도우셨다.

한번은 아버지한테 따져 묻기도 했다.

"아버지 좀 골라서 도우시지…. 무작정 돕지 마시고요.
도움받을 만한 분을 좀 가려서 도우시든가요."
그러면 아버지는 이렇게 대답하셨다.

"칼이 내게 해 준 걸 생각하면, 난 누가 제2의 빌리가 될지 모르겠다.
제2의 빌리를 키우는 것이 나의 소명이 아닌가 생각한다."
아버지는 자신이 칼 파워스 상사에게 받은 대로
자신의 삶을 그들에게 끊임없이 나눠 주고 계신다.
몽골과 인도 등지의 제3국의 젊은 청년들을 키우기 위해 애쓰신다.

아버지가 값없이 은혜를 나눠 주는 통로는 교육이었다.
칼 파워스의 삶을 쏟아 부은 교육,
그것은 우리 집의 결정적인 배경이 되었다.

누구든 내 아버지 김장환 목사님처럼 유명한 사람이 되기는
쉽지 않을 것이다.
극동방송 사장이나 침례교세계연맹의 총회장이 될 수는 없을 것이다.
하지만 누구든 칼 파워스 상사가 될 수는 있다.
마음만 먹는다면….

아버지의 혁대

막내 동생이 아직 돌이 채 지나기 전,
그때 부모님 방은 2층에,
우리 방은 아래층에 있었다.
막내 동생이 보채면
엄마는 2층에서 내려오셔서
기저귀도 갈아 주시고, 우유도 먹이시곤 했다.

신기한 것은 막내 동생이 울다가도
아버지의 발자국 소리가 나면 울음을 딱 멈췄다는 것이다.
형과 누나가 매 맞는 걸 보고 얼마나 겁이 났으면,

17

그 어린 것이 밤중에도 어머니와 아버지의 발소리를 구분했겠는가.
아버지는 우리를 혁대로 훈육했다.

아버지가 미국에 계실 때 어느 목사님 댁을 방문했다고 했다.
그 목사님의 자녀들이 얼마나 반듯하고 올바른지
아버지가 목사님께 여쭤 보았단다.
"아니, 어떻게 자녀를 교육하셨기에 이렇게 자녀분들이 반듯합니까?"
"저는 아이들을 혼낼 때 혁대로 혼냈습니다. 엄하게 했지요."
그때 아버지는 결심하셨단다. 자녀를 낳으면 꼭 혁대로 다스리기로.
나는 지금도 가끔은 그 목사님이 원망스러울 때가 있다.

어린 시절, 혁대 때문이 아니라도 아버지가 얼마나 두려웠는가.

내가 네 살, 여동생이 두 살 때
아버지의 안식년을 맞아 우리 가족은 미국으로 건너갔다.
미국에서 우리가 한 일이라곤 차를 타고 밤낮 없이 달리는 일이었다.
우리 네 가족과 기독병원 이정환 박사님까지,
어른 셋에 꼬마 둘이 그 조그만 차에 탔으니 비좁을 수밖에 없었다.
아버지는 차를 타고 달리다가 어느 교회에 내려 설교를 하시고,

다시 또 자동차를 타고 어디론가 달려가곤 했다.

나중에 들은 말이지만, 아버지는 그때 수원기독교회관 건립을 위해
하루에 16시간 넘게 운전을 하면서
8개월 동안 미국 대륙을 두 번이나 횡단했다고 했다.
게다가 호텔 값을 아끼려고 주로 밤에 많이 이동하셨다고 한다.
그렇게 악착같았기에 그 8개월 동안
수원기독교회관을 건립할 선교 헌금을 모금하실 수 있었을 것이다.

어른들의 사정이야 어쨌든
나와 동생은 영문도 모른 채 자동차 생활을 계속해야 했다.

화장실도 아버지가 자동차를 세울 때 가야지,
중간에 화장실 가겠다는 말도 꺼낼 수 없었다.
정말 싫은 것은 잠을 잘 때였다.
나와 동생은 뒷자석에 둘이 누워서 잤는데,
누가 안쪽에서 잘 것인가 때문에 늘 싸웠다.
바깥쪽에서 자면 차가 급정거를 할 때면
꼭 좌석 밑으로 굴러 떨어졌기 때문이다.

그날도 동생과 나는 서로 안쪽에서 자려고 신나게 싸웠다.

그때 갑자기 아버지가 말씀하셨다.

"그만해라. 자꾸 싸우면 내리라고 할 거야."

아마 잠시 동안은 조용했겠지만, 나와 동생은 또 싸웠던 게 분명하다.

얼마 뒤, 아버지는 정말 차를 세우시더니 나와 동생을 내리라고 하셨다.

나와 동생을 고속도로에 내려놓고 정말로 가버리셨다.

그제야 동생과 나는 한편이 되어 울고불며 펄쩍펄쩍 뛰었다.

아버지, 잘못했다고. 다시는 안 그런다고.

한참 뒤에야 아버지는 차를 세우셨다.

한번은 이런 일도 있었다.

초등학교 때 아버지 지갑에서 5천 원을 훔쳤다.

아버지 지갑을 열었는데 돈이 무진장 많아서

5천 원쯤은 훔쳐도 모를 것 같아서 순식간에 저지른 일이었다.

가게에 가서 친구들한테 사탕도 사 주고, 장난감도 사 주고,

과자도 실컷 사 먹었는데도 돈이 아직도 많이 남았다.

그런데 이상하게도 마음에 찔려서 집에는 들어가지 않고

나랑 친한 재평이 형네 집에 숨어 있었다.

어머니가 어떻게 알았는지 나를 데리러 오셨다.

나는 집에 가면서 아버지한테 혁대로 단단히 맞을 각오를 했다.

집에 들어서니, 웬일로 아버지가 따뜻하게 맞아 주셨다.

'왜 이렇게 친절하지? 전에 같으면 혁대로 호되게 맞았을 텐데.'

아버지가 그러니까 왠지 더 불안했다.

아버지가 말씀하셨다.

"저기 잠옷하고, 옷가지하고 칫솔하고 챙겨라!"

아버지가 여행을 데리고 가시려나 보다고 생각했다.

아버지는 평소에 나를 큰아들이라고 여행에 자주 데리고 다니셨다.

짐을 다 챙겼더니 아버지가 차에 타라고 하셨다.

나는 여행갈 생각에 기분 좋게 차에 올라탔다.

아버지가 나를 데려간 곳은 수원역 옆에 있는 고아원 앞이었다!

"내려! 아빠 자녀는 도둑질하지 않아.

도둑질하는 아이는 우리 집에 살 수 없어.

요셉이 너 아빠 지갑에서 돈 훔쳤지? 이제부터 너는 여기서 살 거야."

가슴이 철렁했다. 아버지의 말이니까 차에서 내리지 않을 수 없었다.

'설마' 하는 심정으로 내렸다.

그런데 아버지는 정말 차를 빼서 가시는 게 아닌가.
나는 막 쫓아가서 자동차 뒷바퀴를 붙잡고 울었다.
"다시는 그러지 않을게요. 잘못했어요!"

아버지는 미국에서 교육을 받은 사람인데 어떻게 그럴 수 있을까?
어머니는 미국인이고 기독교 교육을 전공까지 하신 분인데,
왜 한 번도 아버지를 말리지 않으셨을까?

나중에 어머니한테 물어보기도 했다.
"어머니, 왜 아버지를 말리지 않으셨어요?"
"결혼 전에 우리 둘이 약속했었어.
상대방이 훈육할 때는 상대방의 훈육의 방법이 잘못되었다 하더라도
절대로 아이들 보는 앞에서 아이들 편을 들어주지 않기로 했지.
상대방의 훈육에 대해 잘못을 지적하고 싶은 게 있다면
아이들을 재워 놓고 단둘이 이야기 하자고."

내가 장성해서 자녀를 키우면서
나는 자꾸만 부모님만 못하다는 생각이 들 때가 많다.

목사 아들, 혼혈아, 이런 요소들은 충분히 나를 반항아로,
비관적이고 불평투성이며 잘못된 길로 가게 하기에 충분했다.

아버지는 내게 오뚝이처럼 스스로 일어설 수 있는 힘을 심어 주셨다.
어머니는 난관을 피할 수 있는 쿠션을 제공해 주지 않았다.
가시밭길을 걸을 때 발바닥이 따끔따끔하다고
나를 업어서 기르신 것이 아니라 스스로 걸어갈 수 있도록 해 주셨다.
부모님은 내 절름발에 길을 맞추지 않고,
평평한 길에 내 절름발을 맞춰 걸을 수 있도록 힘을 주셨다.

성경적인 훈육에는 반드시 징계가 있다.
요즘은 자녀들을 징계하지 않는 부모님이 많다고들 한다.
그것은 그만큼 사생아가 많다는 것이다.
참사랑을 체험하지 못하는 아이들은 사생아나 마찬가지이다.
혹시 사랑이라는 이름 아래
참사랑을 전하지 못하고 있는 것은 아닌지 생각해 볼 일이다.

어머니
:양은 도시락과 샌드위치

어머니는 내게 늘 말씀하셨다.
"요셉아, 네가 심긴 곳에서
꽃을 피워야 해."
어머니 말씀은 정말 옳다.

삶으로 가르치는 것만
남는다
24

나는 대한민국 수원의 김장환 목사님 가정에 심겼다.

조금이라도 말을 듣지 않으면 과감히 혁대로 다스리는 무서운 아버지,

미국인 어머니,

이 땅의 이들과는 닮은 구석이라고는 전혀 없어서

친구들의 놀림감이 될 뿐인 혼혈아인 나,

게다가 목사의 아들이니까 목사가 되라고 충고하는 어른들,

나는 이 모든 상황을 바꿀 수도 멈출 수도 없었다.

내가 이렇게 가슴이 아픈데, 어떻게 꽃을 피울 수 있을까.

나를 이런 곳에 심으시다니, 하나님은 실수하셨다!

어릴 적 내가 살던 수원시 인계동은

드문드문 자리 잡은 집들과 적당히 키를 맞추어 서 있는 나무들과

모나지 않은 산자락들이 정겹게 논밭을 감싸고 있는 시골이었다.

혼혈아였던 나는 그 동네에선 뭘 해도 튀는 아이였다.

걸어도, 뛰어도, 한국말을 해도, 아무것도 하지 않아도 튀었다.

흑백사진 속에 딱 한 사람만 색깔이 입혀져 있는 모습, 그게 나였다.

그때 나의 간절하고도 소박한 소원은 '평범한 아이'가 되는 거였다.

나를 처음 본 사람들은 꼭 물어보았다.

"야, 너 한국 언제 왔니?"

"수원이 고향인데요!"

내가 한국말로 대답하면 어른들은 대부분 이상한 눈짓을 보냈다.

"너네 아버지 고향 어디니? 뭐하시는 분이니?"

사람들이 지레 짐작하는 대답이 "미군인데요."임을 모르지 않았다.

"수원인데요. 목사님이세요."

그제야 사람들은 입을 다물었다.

이런 말을 듣기 싫어서 동네에 나가 놀지 않았다.

부모님 친구인 미국인 선교사님 댁에 주로 놀러 다녔다.

선교사님 댁에는 나보다 나이가 한 살 더 많은 형과 누나가 있었다.

나랑 생김새가 비슷했기 때문에 형과 누나랑 놀 때는 정말 좋았다.

벌거벗고 함께 놀던 형아가 서울 외국인학교로 공부하러 갔을 때

나는 슬펐다. 하지만 한편으로는 꿈이 생겼다.

'나도 형처럼 서울 외국인학교로 가게 되겠구나.

그러면 이제 친구들한테 놀림받는 것도 끝이다.

친구도 많이 사귀고 형이랑 날마다 학교도 같이 다니고 좋겠다!'

학교 갈 나이가 되었을 때 아버지는 말씀하셨다.

"한국 사람이면 한국 교육을 받아야 한다."

내 기대는 물거품이 됐다.

어머니가 선교사니까,

나는 선교사 자녀들을 위한 외국인학교에 충분히 갈 수 있는데,

아버지의 고집은 아무도 꺾을 수가 없었다.

미국인 엄마의 손을 붙잡고 학교에 간 첫날, 나는 스타덤에 올랐다.

아이들은 동물원의 사자나 원숭이가 나타난 것처럼 나를 쳐다보았다.

학교를 다니는 내내 나는 놀림을 받았다.

"징그럽게 한국말 잘하네!"

"야, 빵코!"

학교에서 돌아오면 나는 온돌방에 엎어져서 잤다.

그렇게라도 하면 코가 납작해질 것 같아서였다.

머리카락이 까매지고, 눈동자가 까매질 수 있다면,

피부가 노랗게 될 수 있다면….

하지만 이런 걸 바꿀 수 없다는 것을 나는 이미 알고 있었다.

초등학교 4학년이 되었을 때,
선생님은 이제부터는 도시락을 싸 오라고 말씀하셨다.

그날 나는 엄마와 함께 수원영동시장에 갔다.
반짝반짝 빛나는 양은 도시락을 사고 보니
마치 내일 소풍이라도 가는 것 같았다.

다음날 엄마는 양은 도시락을 신문지로 싸서 내 가방에 넣어 주셨다.
"점심시간이 될 때까지는 열어 보지 마!"
나는 고개를 끄덕였다.

드디어 점심시간.
모두가 들떠 있었다. 함께 모여서 도시락을 열어 보기로 했다.
콩자반과 단무지, 김칫국물에 물든 꽁보리밥,
가뭄에 콩 나듯 멸치와 계란프라이가 등장했다.

드디어 내 차례가 되었다.
도시락을 들 때 조금 가볍다는 느낌이 들었다.
기뻤다. 김밥인 게 분명했다.

나는 자랑스럽게 도시락 뚜껑을 열었다.
내가 뚜껑을 열자마자 친구들이 일제히 말했다!
"어! 저건 뭐야?!"
"역시! 양코쟁이는 먹는 것도 달라!"
내 양은 도시락에 얌전히 담겨 있는 것은 햄앤에그 샌드위치였다!

아이들의 눈총이 화살처럼 꼭꼭 박혔다.
나는 그 샌드위치를 들어올릴 수가 없었다.
창피해서 도저히 교실에 앉아 있을 수가 없었다.

교실을 뛰쳐나갔다. 뒷산에서 수업이 끝날 때까지 내려오지 않았다.
'그동안 내가 어떻게 견뎌왔는데…'
울면서 집에 돌아왔다. 그 누구하고도 이야기하고 싶지 않았다.
밖에서 빨래를 하시던 엄마가 뒤따라오셨다.
엄마를 보자 눈물이 왈칵 솟구쳤다.

"엄마, 왜 샌드위치 싸 줘서 나를 망신시켜요?"
"요셉아, 널 이해해. 엄마는 네가 샌드위치를 좋아하니까,
첫 도시락이니까 네가 좋아하는 음식을 싸 주고 싶었어."

엄마는 나를 가만히 안아 주셨지만, 나는 엄마가 너무 원망스러웠다.

"엄마, 친구들이 그럴 줄 알았으면서 나 샌드위치 싸 준 거지?
내가 놀림받을 거 알면서 한국 학교에 보낸 거지?
엄마 왜 한국에 있어?
엄마 왜 나한테 물어보지도 않고 한국 사람이랑 결혼했어?
우리 미국에 가서 살면 안돼요?"

내 원망 섞인 하소연을 잠잠히 들어주시던 어머니는
날 꼭 껴안아 주시며 이렇게 대답하셨다.

"Because of Jesus! 예수님 때문에!"
엄마의 그 말을 들었을 때 내 마음의 살갗이 벗겨지는 듯 아팠다.

"엄마, 왜 예수님 때문에 있어?"
"예수님의 사랑 때문에.
예수님이 날 위해 십자가에서 죽으셨어.
그래서 나를 구원해 주셨지.
엄마는 그게 너무 기뻐서

예수님을 모르는 한국에서 예수님을 전하면서 살고 싶었어.
요셉아, 예수님은 네 있는 모습 그대로 널 사랑하셔.
예수님은 너를 너무 사랑해서
십자가에 달려 돌아가시기까지 하셨어.
예수님은 네가 변하지 않아도 있는 모습 그대로 너를 사랑하셔.
네 마음속에 있는 아픔과 미움도 용서하셔."

어머님의 말씀을 듣는 순간, 내 가슴은 방망이질쳤다.
'코가 납작해지지 않아도,
머리카락이 까매지지 않아도 날 사랑하신다고?'

"요셉아, 예수님은 너의 있는 모습 그대로를 사랑하지만,
너를 너무나 사랑하셔서 너를 이대로 내버려두시지는 않으실 거야.
예수님이 너를 변화시켜 주실 거야."
엄마의 말을 들으면서
어쩌면 예수님이 내 코를 납작하게 해 주실지도 모른다고 생각했다.

그 다음날까지도 나는 열병을 앓았다. 학교도 결석했다.
그런 내게 아버지와 어머니는 함께 기도하자고 하셨다.

어머니는 내 침대 앞에 무릎을 꿇고 영접 기도를 인도해 주셨다.
나는 아버지와 어머니의 도움을 받아 영접 기도를 드렸다.

"예수님이 죄인인 저를 위해 피흘려 돌아가셨음을 믿습니다.
몸도 아프고 마음도 아파요. 지금 제 곁에 오셔서 다 낫게 해 주세요."

나는 그날 예수님을 영접했다.

나중에 들은 말이지만 어머니는 결혼할 때부터 자녀를 생각해서라도
국제결혼은 하지 말라는 충고를 많이 들으셨다고 한다.
그런 소리를 들었음에도 아버지와 어머니는 사랑의 결단을 하셨다.

어머니는 결혼을 결심하신 뒤로
혼혈아로 태어날 수밖에 없는 자녀를 위해 많이 기도하셨다고 한다.
아픔과 갈등을 지혜롭게 잘 헤쳐 나가게 해 달라고,
어려서 일찍 예수님을 만나게 해 달라고.

아이의 문제를 자신의 힘으로 풀려고 하지 않고, 예수님께 가져간 것,
나는 아직도 어머니의 그 지혜에 감탄한다.

생각해 보면 나는 장애 아동이었다.

장애란 별다른 것이 아니다.

남들에게 특별한 대우를 받는 것이 장애 아동이다.

우리 학교가 장애 학생에 대해서 남다른 시선을 가지고 있다면

바로 내가 누구보다도 특별함을 많이 누렸기 때문일 것이다.

삶으로 가르치는 것만
남는다
34

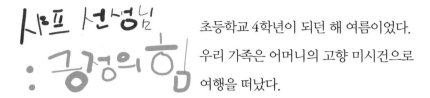
샤프 선생님
: 긍정의 힘

초등학교 4학년이 되던 해 여름이었다.
우리 가족은 어머니의 고향 미시건으로
여행을 떠났다.

한국이라는 낯선 나라에서 외롭게 사신 어머니와
혼혈아라는 꼬리표를 달고 한국 학교를 다녔던 나와 동생들에게
그 시간은 하나님이 주신 특별한 선물과도 같았다.

미시건에 있는 한 크리스천 스쿨에 입학했다.
처음 보는 미국인 학교.
학교 정문이 점점 가까워지자 가슴이 콩닥콩닥 뛰었다.
'학교 가면 아이들이 날 좋아할까?
생김새가 비슷하니까 날 놀리는 아이들은 없을지도 몰라!'
공부는 따라갈 수 있을까? 엄마랑은 영어로 말은 할 수 있지만,
영어 공부를 해 본 적은 없는데, 영어 책도 읽을 줄 모르는데….'

4학년 교실에 배정되었다.
부모님을 뒤로 하고 교실에 들어서니 또다시 심장이 쿵쾅거렸다.
한국의 교실 풍경과 다른 데 우선 놀랐다.

한국에서는 한 반에 60명이 넘었는데, 여기는 고작 30명이 전부라니!
나와 비슷하게 생긴 아이들이 이렇게 많다니!

첫 시간은 스펠링 수업 시간이었다.
선생님은 두툼한 단어 카드를 손 안에 감추고 말했다.
"이쪽 앞줄부터 시작이야! 스프링!"
그랬더니 맨 앞줄 아이가 일어나서 말했다.
"에스 피 알 아이 엔 지!"
"좋아! 다음! 뉴스페이퍼!"

걱정이 태산이었다.
'난 들을 줄만 알지 스펠링은 모르는데, 어떡하지!'
선생님이 물어보는 데 내가 아는 단어가 하나도 없었다.
스펠링을 척척 알아맞히는 아이들이 너무나 대단해 보였다.
가끔 스펠링이 틀리면 선생님은 카드를 내밀어 철자를 보여 주셨다.
점점 내 차례가 다가왔다.
나는 그만 숨어 버리고만 싶었다.
'어떻게 하지? 하필이면 스펠링 수업이 첫 시간일 게 뭐람!
앞으로 창피해서 학교를 어떻게 다니지? 정말 어떻게 해…'

고개가 점점 수그러졌다.

'어쩌면, 전학 왔다고 선생님이 봐 주시지 않을까?'

"김요셉! 요셉이는 앞으로 나와 봐!"

내 기대는 무참히 깨졌다. 봐 주기는커녕 칠판 앞으로 불러내시다니!

이제 웃음거리가 되거나 바보가 되거나 둘 중 하나였다.

도살장에 끌려가는 소처럼 발걸음이 떨어지지 않았다.

주먹을 움켜쥐고 눈을 내리깐 채 칠판 앞에 섰다.

선생님은 단어 카드를 들고 내 옆으로 다가오셨다.

바지에 오줌을 싸기 직전이었다.

"너희들, 이야기했지? 한국에서 온다는 선교사님 자녀 말이야.

얘가 바로 그 요셉이야. 요셉이는 한국이라는 곳에서 태어나서

우리와 전혀 다른 말을 배우며 자라나서 한국어를 아주 잘한단다.

요셉아, 선생님 이름을 한국말로 써 줄래?"

"네?"

난 내 귀를 의심했다. 눈물이 왈칵 쏟아질 뻔했다.

'한국어로 쓰라고? 영어가 아니고? 그것도 달랑 이름 하나를?'

"선생님 이름은 샤프야!"

나는 칠판에 선생님의 이름을 한글로 또박또박 적었다.

"샤 프"

까짓 식은 죽 먹기였다.

그러자 여기저기서 탄성과 환호가 터져 나왔다.

"내 이름도 한국말로 써 줘! 내 이름은 탐이야!"

"나도, 나도! 나는 메리야!"

"나는 수잔!"

이름을 적을 때마다 아이들은 감탄사를 내뿜으며 박수를 쳤다.

근심과 두려움이 순식간에 기쁨과 자신감으로 바뀌었다.

선생님은 이제 그만 자리에 들어가 앉으라고 말씀하셨다.

"얘들아, 요셉이가 한국말을 참 잘하지?

너희도 선교사가 되려면 다른 나라 말을 이렇게 잘해야 하는 거야."

그때 난 한줄기 따뜻한 빛을 느꼈다.

환하고 고운 빛이 내 안 어딘가에 숨어 있는 어둠을 몰아냈다.

나는 수줍음, 자랑스러움이 뒤섞인 미소를 띤 채 자리로 돌아왔다.

아이들은 내게로 몰려들어 자신의 이름도 한국말로 써 달라고 했다.

소동은 쉽게 가라앉지 않았다. 그날 수업은 더 이상 진행되지 않았다.

어느 결에 소문이 났는지, 수업이 끝난 후에는

다른 반 아이들에 형들까지 내게 몰려들어 왔다.

"야, 너희 반에 다른 나라 말 잘하는 아이가 있다며?

너구나. 내 이름도 써 줘!"

나는 학교의 스타로 급부상했다.

학교를 다니는 1년 내내 얼마나 인기가 대단했는지 모른다.

'한국말로 이름 쓰기' 가 1년 내내 대 유행이었다.

그날의 일을 떠올리면, 아직도 가슴이 뜨거워진다.

'영어도 못하는 아이' 가 될 뻔했던 나를 선생님은

'한국어 잘하는 아이' 로 만들어 주셨다.

샤프 선생님은 나를 알았고 나의 아픔을 충분히 감지하셨다.

그날 샤프 선생님은 계획한 학습 진도는 나가지 못했지만,

한 아이를 부끄럽게 하지 않으시고

인생을 빛 가운데로 인도해 주셨다.

선생님의 지혜는 어디에서 온 것일까!

만약 선생님의 그 결단이 아니었다면

나는 '영어도 못하는 아이' 라는 꼬리표를 달아야 했을 것이고,

그 꼬리표는 평생 따라다니면서 나를 부정적으로 만들었을 것이다.

그 학교에서 나는 영어도 정식으로 배웠고,

지금의 수원중앙기독초등학교와 같은 크리스천 스쿨에 대한 모델도

경험할 수 있었다.

하지만 그보다 더 큰 가르침은 자신감이었다.

그날의 일은 혼혈아로서 늘 열등감에 시달려 온 내게

"있는 모습 그대로가 아름답다."는 강렬한 메시지를 심어 주었다.

대학 4년 내내 장학금을 탈 수 있었던 것도,

트리니티대학원 기독교교육학과 역사상 최연소로

박사 학위를 딸 수 있었던 것도

그때 얻은 자신감 때문이었는지도 모른다.

요즘은 교사들뿐만 아니라 부모들도

교육의 전문적인 지식을 얻기 위해 굉장히 애를 쓰는 시대가 되었다.

하지만 정작 중요한 것은 교수법이 아니라

하나님 아버지와 같은 마음으로 아이들을 가르쳐야 한다는 것이다.
그것이 기독교 교육이 가질 수 있는 가장 강력한 힘이다.

내가 너희를 부끄럽게 하려고 이것을 쓰는 것이 아니라 오직 너희를 내 사랑하는 자녀같이 권하려는 것이라 그리스도 안에서 일만 스승이 있으되 아비는 많지 아니하니 그리스도 예수 안에서 복음으로써 내가 너희를 낳았음이라 (고린도전서 4:14-15)

아버지와 같은 마음으로 아이를 가르친다는 것은
통제하기 위해서가 아니라 사랑하기 위해서
그 아이에 대해서 알려고 노력하는 것이다.
샤프 선생님은 나를 알았다. 나의 아픔을 알았다.

부모라고 해서 다 하나님 아버지의 마음을 갖고 있는 것은 아니다.
모든 교사가 샤프 선생님과 같은 마음을 가지고 있는 것은 아니다.
이것이 자녀 교육에 대해서 부모도 교사도 늘 고민해야 하는 이유이다.

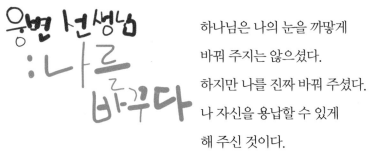

웅변 선생님
: 나를
바꾸다

하나님은 나의 눈을 까맣게
바꿔 주지는 않으셨다.
하지만 나를 진짜 바꿔 주셨다.
나 자신을 용납할 수 있게
해 주신 것이다.

그래도 나는 여전히 수줍음이 많은 아이였다.

그러던 초등학교 5학년의 어느 날이었다.
이종환 선생님이 조용히 날 부르셨다.
"김요셉, 웅변해 볼 생각 없니?"
위축돼 있는 날 자신감 있게 만들고 싶으셨는지,
나도 모르는 내 소질을 보신 건지는 모르는 일이었다.
아무튼 선생님의 권유(?)는 아주 끈질기셨다.

'웅변이라고?
나 보고 수많은 사람들 앞에서 두 손 번쩍 들며 소리를 지르라고?
어휴, 말도 안돼.'

집에 돌아왔더니, 아버지가 말씀하셨다.

"요셉아, 웅변 한번 해 봐라. 너한테 좋은 기회가 될 것 같구나.
아버지도 칼 파워스 상사를 위해 교내 웅변대회에 참가했었지.
그때 상을 받은 것이 두고두고 나한테 얼마나 유익했는지 몰라."
아버지는 담임 선생님과 통화하시면서 이미 마음을 굳히신 눈치였다.
우리 집에선 아버지의 말씀이 곧 법이었다.

그때부터 피나는 연습이 시작됐다.
원고는 우리 교회 이동원 전도사님(현재 지구촌교회 담임 목사)이 써 주셨다.
학교에서는 담임 선생님이 열성적으로 지도해 주셨고,
집에서는 아버지가 혁대(?)로 후원해 주셨다.

드디어 대회가 열리는 날.
그 대회는 수원연합지구 16개 학교 대표들이 참석한 제법 큰 규모였다.
수원에서 말 잘하는 아이들은 다 뽑아 모아 놓은 듯했다.

'수원 변두리에 있는 이름도 없는 학교 출신의 수줍고 내성적인 아이,
그것도 혼혈아…'
낯선 사람들 앞에서 자신감은 한꺼번에 무너지고 말았다.
"여러부~운,…"

내 차례가 어떻게 지났는지 생각도 나지 않았다.
단에서 내려오니 땀에 등이 흠뻑 젖어 있었다.

결과는 냉정했다. 나는 꼴찌를 했다.
당연하다고 생각하면서도 왠지 서럽고 야속했다.
'절대 못할 것 같은 일을 한 건데, 열심히 연습했는데….'
상을 받지 못하니 노력조차 날아가 버린 느낌이었다.
'다시는 이런 거 하나 봐라.'

그러고 나서 한두 달 정도 지났을까.
담임 선생님이 다시 한 번 웅변대회에 나가자며 부추기셨다.
지난번의 악몽을 떠올리며 나는 고개를 힘껏 내저었다.
하지만 이번에도 선생님은 포기하지 않고 끈질기게 설득하셨다.
도망치듯 집으로 왔지만
아버지 표정을 보니 이번에도 이미 선생님과 통화하신 게 분명했다.
할 수 없이 이 전도사님의 원고를 받아 들고
다시 한 달 동안 맹연습에 들어갔다.

이번 대회는 《동아일보》에서 주최하는 전국 대회였다.

지난번 대회와는 비교도 되지 않는 큰 규모였다.
더군다나 나 같은 어린이는 눈을 씻고 찾아봐도 없었다.

그런 큰 대회에서 난 국무총리상을 받았다!
부상으로 한양대학교에서 주는 4년 장학금까지 약속받았다!
영광은 거기서 끝나지 않았다.
조회 때 전교생 앞에서 교장 선생님께 다시 한 번 상을 받았다.
그 일로 나는 학교에서 유명 인사가 되었다.
친구들도 나를 '웅변 잘하는 아이'로 인정해 주었다.

이제야 말이지만, 사실 그 대회는
동아일보에서 주최하는 '외국인 한국말 말하기 대회'였다.
그 대회에 참석한 사람들은 다 어른들이었으니
오히려 내가 상을 타지 못한 것이 더 이상했을 것이다.

어쨌거나, 그 뒤로 나는 이른 아침 나팔꽃처럼 점점 피어나기 시작했다.
내성적인 아이 혼혈아 김요셉을 끝까지 포기하지 않았던
담임 선생님, 전도사님, 아버지의 지극한 사랑과 관심의 합작품이었다.
그때 얻은 자신감이 나이 들어서까지 이어져

대학교 때는 스피치 클럽에서 활동했고,
스피치 강사로 웅변하면서 학비도 벌었다.
어쩌면 그때 설교자의 기본을 배웠는지도 모르겠다.

아이의 소질을 개발해 주는 것은
교육에 있어서 가장 중요하다.
아이한테 어떤 특기 교육을 시키기 전에 아이를 가만히 눈여겨보라.
부모의 욕심에 의해서가 아니라
우리 아이의 성격을 보완해 줄 수 있을 만한 것을 생각해 보라.

네비 게이토 선생님
: 경건을 배우다

내 생애 최고로 부지런하고 경건하며
열심이었던 때를 꼽으라면
나는 언제나 주저하지 않고 중학교
때를 꼽는다.
큐티, 기도, 성경 암송, 새벽예배….
어느 하나 소홀히 한 적이 없었다.

어딘가에 머리만 대면 잠이 쏟아질 나이에
매일 새벽 서너 시에 일어나 신문을 돌렸으니
그만하면 부지런하다고 해도 되지 않을까.

보물 1호인 자전거 뒤에 신문 꾸러미를 싣고 외쳤다.
새벽의 짙푸른 공기를 가르며 수원 시내의 아침을 깨웠다.
"신문이오!"
그때마다 속으로 함께 외쳤다.
'하나님, 새 아침을 주셔서 감사합니다.'

신문을 다 돌리고 나면 어슴푸레하게 하늘이 열리기 시작했다.
마치 하나님이 내 소리를 듣고 하늘 문을 여시는 것 같았다.

그러면 나는 더 신나게 자전거 패달을 굴리며 교회로 향했다.

새벽에 또 하나의 즐거움은 네비게이토 성경 공부였다.
그 당시 우리 교회에서는 네비게이토 출신이신 홍승구 선교사님을
중심으로 중등부에 제자훈련 프로그램이 시작됐다.
홍 선교사님은 엄격했다.
나폴레옹의 사전에 '불가능' 이란 단어가 없었다면,
홍 선교사님 사전에는 '대충대충' 이라는 단어가 없으신 것 같았다.
두 번인가 빠지면 제자훈련반에서 탈락이었다.
처음엔 너무 버거워서 떨어져 나가는 아이도 더러 있었다.
하지만 일관성 있는 선생님의 지도 방식은 곧 우리를 사로잡았다.
햇빛을 한줌이라도 더 받으려고 위로위로 자라나는 나무들같이
우리는 주님 안에서 쑥쑥 커갔다.

제자훈련 시간만 되면 서로 암송한 성경 구절을 체크하기에 바빴다.
"요셉, 고린도후서 5장 17절, 석구는 갈라디아서 2장 20절 외워 봐."
"누구든지 그리스도 안에 있으면 새로운 피조물이라…."
"내가 그리스도와 함께 십자가에 못 박혔나니…"
"좋아, 그 다음은 암송카드 뒤편으로 넘겨서 영어로!"

"네? 영어는 안 외웠는데요?"

"너희들 이제 중학생인데 초등학생처럼 한국말만 해서 되겠어?"

선생님은 조금씩 업그레이드된 방법을 고안해 내고는 하셨다.

큐티와 말씀 읽기와 암송을 밥 먹는 것보다 더 열심히 했다.

성경을 배우는 일이 그렇게 달콤할 수 없었다.

묵상한 말씀은 하루 종일 내 삶 속에서 살아 움직였다.

12주 동안의 제자훈련이 끝나고도 이러한 생활 패턴은 계속되었다.

아직도 그때 생각을 하면 나도 모르게 빙그레 웃는다.

'그때처럼 열심히 살면 하나님이 얼마나 대견해하실까?'

이런 생각으로 지금의 삶을 추스르곤 한다.

그러한 생활은 고등학교 때까지도 계속되었다.

그때는 고등학교도 시험을 치러야 했다.

나는 어느 학교를 선택해 시험을 봐야 할지 고민했다.

수원의 신흥 명문으로 떠오르고 있었던 미션스쿨인

유신고등학교를 지원하기로 했다.

'7백 명을 뽑는다니까 699등만 하면 되겠네. 뭐.'

입학원서를 내러 온 날 예상치 못한 일이 벌어졌다.

모집 정원은 7백 명인데,

자그마치 2천여 명이 넘는 학생들이 응시한 것이다.

'수원에 그렇게 많은 중학생이 있었던가?'

순간 아찔해졌다.

'이 학교 떨어지면…, 정말 그렇게 되면 어떻게 하지?'

이런저런 생각에 마음이 복잡해졌다.

하지만 그것도 잠시, 누군가 내 마음을 꽉 붙잡는 것 같았다.

이상하리만큼 마음이 편안해졌다.

중학교 3년 내내 받은 강한 훈련 덕분에

내 영혼의 날씨가 '잠깐 흐렸다 매우 맑음'으로 돌아섰다.

절박한 심정으로 학교 운동장 한 귀퉁이에 서서 두 손을 모았다.

"하나님, 이 학교에 꼭 합격하기를 원합니다.

그것이 하나님께 영광이 되기를 원합니다.

매 시간마다 시험문제를 풀기 전에 기도하겠습니다.

제 기도를 받아 주세요."

내 생애 처음 드린 서원기도였다.

드디어 입학시험 당일, 시험지가 배부되었다.

"시험지 뒤집어!"

선생님의 사인이 떨어지자마자

"두두둑, 두둑 둑, 지직 직."

아이들이 문제 푸는 소리가 귓가를 때렸다.

나는 하나님께 기도한 대로 시험지를 그대로 놓아둔 채 기도했다.

불안한 생각이 얼핏 스쳤지만 나는 기도를 멈추지 않았다.

하나님께 간절히 기도를 마치고 시험 문제를 풀어 내려갔다.

다음 시험 시간에도 마찬가지로 5분 정도 기도를 드렸다.

그런 나를 보고 '별 희한한 놈 다 보겠네.' 하는

노골적인 눈빛을 보내는 선생님도 있었고

쉬는 시간에 나를 쳐다보며 수군거리는 아이들도 있었다.

마지막 시간까지 기도를 한 뒤 시험을 봤다.

합격자 발표가 있던 날.

긴장을 한 탓인지 가끔 손끝이 미세하게 진동하는 것 같았다.

학교 게시판에 7백여 명의 합격자 명단이 빼곡하게 붙었다.

'하나님, 7백 등이라도 좋으니까 붙여만 주세요!'

나는 가느다랗게 실눈을 뜨고 내 이름을 찾았다.

그런데 아무리 찾아도 내 이름이 없었다.

혹시나 하고 처음으로 다시 올라갔다.

그런데! 맨 처음에서 두 번째에,

흔하지도 않은 내 이름 석 자가 똑똑히 적혀 있었다!

눈을 비비고 다시 보아도 내 이름은 그 자리에 박혀 있었다.

2등이었다! 4문제만 틀려 2등으로 합격한 것이다!

지금까지도 나에 대해서는 자랑할 게 별로 없다.

하지만 이 일은 지금도 가끔 자랑을 한다.

그것은 분명히 하나님이 하신 일이기 때문이다.

물론 기도만 한 것은 아니었다. 더 열심히 공부했다.

하지만 시험 당일 나를 지키신 분은 하나님이셨다.

실수도 하지 않게 하시고 머리도 맑게 하셨다.

최상의 컨디션으로 넉넉하게 시험을 치르게 하신 것이다.

이것이 하나님을 내 삶의 절대 주권자로 인정하는 법을 배우는

첫 번째 수업이었다.

아버지를 만나다

빌리 그레이엄
목사님의 한국 전도
집회가 열렸을 때다.

나도 어머니와 동생들과
함께 집회 현장에 있었다.

집회가 열리는 여의도 광장은
110만여 명이 넘는 사람들로 발 디딜 틈이 없었다.

빌리 그레이엄 목사님과 함께 단 위에 서서 통역을 하시는 아버지,
그 당찬 모습은 나를 흥분시키기에 충분했다.
집회 마지막 날, 더 많은 사람들이 모인 것 같았다.

설교를 마친 빌리 그레이엄 목사님이

박 대통령이 특별히 보내 준 헬기를 타고 공항으로 떠나갈 때,

그 수많은 인파가 손수건과 순서지를 꺼내 들고

일제히 손을 흔들어 환송할 때 얼마나 가슴 벅찼던가.

엘리야가 병거를 타고 하늘로 들림 받던 모습이 저렇지 않았을까.

나도 한참 손을 흔들고 있는데,

어느 결에 아버지가 내 곁에 다가오셔서 속삭이셨다.

"요셉아, 너 나랑 같이 가자."

어머니가 동생들을 데리고 있는데, 아버지는 내 손을 잡아끌었다.

아버지는 나를 덥석 안다시피 해서 차에 태우셨다.

며칠 동안 그레이엄 목사님의 발이 되었던 박 대통령의 까만 리무진은

이제 제 사명을 다하고 다시 청와대로 되돌아가야 할 때였다.

12대의 사이드카의 보호를 받으며 리무진이 달렸다.

빡빡머리 중학교 2학년생에게는 너무 황홀한 경험이었다.

차 안에서 아버지는 아무 말씀도 하지 않으셨다.

그때 아버지는 차 안에서 무슨 생각을 하셨던 것일까.

아버지가 빌리 그레이엄 목사님의 설교를 통역했던,

기독교 역사적으로 기억될 만한 그 순간이 나를 성장시키지 않았다.

신문 기자들과 인터뷰를 해도 시간이 부족한 그때,

훌륭한 목사님들이 아버지를 만나려고 줄 서서 기다리고 있는 그때,

아버지가 나를 리무진에 데리고 타던 바로 그 순간이

아버지가 기억해 주셨던 순간이 나를 성장시켰다.

아버지는 내게 말로는 설명이 되지 않는 귀중한 영적 가치를 주셨다.

그 가치가 가정 중심의 중앙기독초등학교를 세우는 바탕이 되었다.

아브라함은 시험을 받을 때에 믿음으로 이삭을 드렸으니 저는 약속을 받은 자로되

그 독생자를 드렸느니라 저에게 이미 말씀하시기를 네 자손이라 칭할 자는 이삭으

로 말미암으리라 하셨으니 저가 하나님이 능히 죽은 자 가운데서 다시 살리실 줄로

생각한지라(히브리서 11:17-19)

하나님은 이 세상에 가장 먼저 가정을 세웠다.

하나님의 뜻을 이루시기 위해 예수님을 이 땅에 보내실 때도

천군천사를 대동하거나 특별한 시스템을 이 땅에 구축하지 않으셨다.

다만 목수 요셉과 마리아의 가정에 예수님을 태어나게 하셨을 뿐이다.

믿음의 역사 속에서 '가정'처럼 중요한 것은 없다.

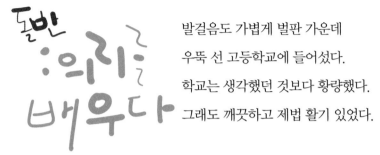

돌반
의지
배우다

발걸음도 가볍게 벌판 가운데
우뚝 선 고등학교에 들어섰다.
학교는 생각했던 것보다 황량했다.
그래도 깨끗하고 제법 활기 있었다.

신설 학교라 그런지 선생님들의 열의가 대단했다.
학교는 성적이 우수한 아이들을 따로 모아 강 훈련을 시켰다.
일명 명문대 진학반을 만들어 운영하고 있었다.
전체 2등으로 입학한 나는 자연히 우등반에 배정됐다.

우등반 아이들은 중학교 때 친구들과는 사뭇 달랐다.
공부하라는 말도, 조용히 하라는 말도 필요가 없었다.
이제 갓 입학한 학생들답지 않게 공부를 알아서 척척 해 나갔다.
친구들과 친해지려고 주위를 어슬렁거리는 아이는 나뿐이었다.
우등반은 정말 '재미없는' 반이었다.

그 반에서 제일 공부를 잘하는 친구가 내게 말을 걸어왔다.
"요셉아, 밥 같이 먹자."
"으─응? 그래!"

나는 의아하기도 하고 기쁘기도 했다.

그 친구와 함께 도시락을 먹으며 친해졌다.

그 친구들은 나를 중심으로 영어 공부를 하기 원했다.

나는 내가 아는 한 열심히 가르쳐 주었다.

그런데 이상한 게 하나 있었다.

수학 얘기만 나오면 왠지 나를 피하는 거였다.

나중에 알고 보니,

내가 수학은 좀 약하다고 수학 그룹에는 나를 껴 주지 않은 것이다.

신경 쓰지 않으려고 했는데 자꾸만 섭섭한 마음이 들었다.

'그럼 뭐야, 나랑 친하게 지낸 것도 영어 때문이야?'

기가 막히기도 하고 씁쓸하기도 했다.

처음엔 인정하고 싶지 않았지만 그게 사실이었다.

아무리 우등반이라지만 이런 분위기가 점점 싫어졌다.

2학년이 되었다. 학교의 입시반, 우등반 프로그램이 없어졌다.

학부모들의 원성과 나라의 평준화 교육 제도 때문이었다.

신이 났다. 우등반에 들어야 한다는 심리적 압박이 사라졌으니까,

또 재미없게 악착같이 공부하지 않아도 되니까 좋았다.

3학년이 되니까 취업반이 생겼다.

학교 편에서 보면 진학을 포기한 아이들을 취업반으로 빼서

학교 전체 진학률이 조금이나마 오르니 좋고,

학생 편에서는 보면 하루라도 빨리 자기 길을 찾게 해 주니 좋았다.

우리들은 그 반을 돌반이라고 불렀다.

그럼에도 돌반은 거부할 수 없는 매력이 있었다.

그것은 오후 2시면 수업이 모두 끝난다는 것이었다.

그 사실을 알고 나서 나는 그 반에 들어가고 싶어서 안달이 났다.

딱 꼬집어서 말하면 '공부하고 싶지 않아서' 였다.

나는 그 반에 들어가기 위해 머리를 쥐어짜야 했다.

'선생님이 고개를 끄덕이실 만한 타당한 이유를 만들어야 해.'

순간, 머리에 반짝반짝 불이 들어왔다.

"그래, 바로 그거야! 나한테 그 카드가 있었지!"

아버지는 늘 말씀하셨다.

내가 한국에서 고등학교까지 마치면 미국으로 보낼 거라고.

나는 어차피 진학률에 도움이 되지 않는 사람이었던 것이다.

나는 당장 선생님을 찾아가 말씀드렸다.
"부모님과 얘기가 다 됐어요. 전 대학은 미국으로 가기로 돼 있거든요.
저는 입시를 치르지 않으니까 그냥 취업반으로 보내 주세요."
선생님의 허락하에 나는 당당히 돌반에 입성했다.
어머니에게 이 사실을 털어놓았는지는 기억이 나질 않는다.
하지만 아버지는 아직도 이 사실을 모르실 것이다.

돌반에서의 생활은 아주 짜릿했다.
돌반에는 공부도 못하고, 별 볼 일 없는 문제아들투성이었지만
그곳에는 "한 번 친구는 영원한 친구"라는 인간적인 의리가 있었다.
나는 거기서 깊은 사랑이 싹트는 진정한 '공동체'를 체험했다.
평생을 같이한 친구를 만난 것도 돌반에서였다.

만약 내가 돌반을 경험해 보지 못했다면
나도 성공을 위해서라면 남을 이용하는 관계를 쉽게 생각했을 것이다.
진정한 앎은 관계에서 비롯된다.
상호 협동과 타인에 대한 배려는 공동체에서 길러지기 때문이다.

미션스쿨
: 크리스천 스쿨의 꿈을 심어 주다

고등학교 때 일이다.
우리 학교에 외국인 목사님 한 분이
견학 오셨다.
내가 통역을 하게 됐다.
학교 곳곳을 견학시켜 드렸다.

방문하신 목사님이 물으셨다.
"이 학교는 미션스쿨이지요?"
교장 선생님이 대답하셨다.

"그럼요. 전교생이 채플을 드리고, 성경 수업도 받습니다.
교목이 둘이나 있거든요.
학교 수련회 때 유명한 목사님을 초청하기도 합니다.
우리 학교 학생들은 졸업하기 전에 모두 다 세례를 받습니다.
선생님 뽑을 때도 목사님 추천서가 있어야 하고,
세례 교인을 우선적으로 뽑습니다."
교장 선생님은 신이 나서 자랑을 하셨다.

통역을 하는 나도 덩달아 신이 났다.

그런데 이 말을 들은 외국인 손님이 몹시 놀라셨다.

"오, 저는 몰랐어요! 한국에는 미션스쿨이 없는 줄 알았거든요."

"왜 없어요? 한국 사립학교의 절반 이상이 미션스쿨인데요."

그러자 외국인 손님은 눈을 동그랗게 뜨고 물어보았다.

"그러면 기독교 교과서도 있겠네요?"

"아닙니다. 그렇지 않습니다. 정부에서 제공합니다."

"그러면 교과목과 기독교 세계관을 통합하는 게 쉽지 않을 텐데요. 선생님들은 힘들어하지 않습니까?"

"아니요. 전혀요. 신앙은 교목이 채플 시간과 성경 시간에 가르치고, 선생님은 일반 과목만 열심히 가르치니까요."

그때 외국인 목사님은 실망하는 기색이 역력했다.

교장 선생님도 그것을 눈치 챘는지 얼른 다른 말을 꺼냈다.

"우리 학교는요,

수원에서 3년 연속 대학 진학률 1등을 달리고 있습니다.

서울대에만 해도…."

그때 나는 얼굴이 달아올랐다.

채플, 성경 과목, 교목, 학생 수련회, 이사장들의 교회 직분….

이런 것이 기독교 학교를 구분 짓는 게 아니구나!

핵심 요소들은 일반 학교와 다를 바 없는 미션스쿨,

이것은 외장만 신경 쓰는 건축과 같은 게 아닌가.

그날 이후 나도 모르게 이런 고민이 내 안에서 자라기 시작했다.

그 무렵 어머니가 중앙유치원을 개원하셨다.

효과적인 복음 전도를 위해서였다.

그때는 영어만 가르쳐 준다 해도 사람들이 모이던 시절이었다.

어머니는 복음을 전하는 데 귀한 무기가 있으셨던 셈이다.

하지만 어머니는 자녀 셋을 기르시는 동안,

아무런 외부 활동을 안 하셨다.

아버지의 돕는 배필 역할을 충실히 하셨다.

자녀 셋이 다 자라고 나자 중앙유치원을 세우신 것이다.

개원한 지 얼마 지나지 않아 소문이 났다.

중앙유치원의 교육이 좋다는 이야기들이었다.

중앙유치원에 아이를 꼭 보내야겠다는 학부모들이 줄을 섰다.

아이들을 통해 하나님을 영접하는 부모가 하나 둘 늘었다.

아버지와 어머니의 판단이 맞았다.
유치원은 복음을 전파하는 또 다른 창구가 되었다.
어머니가 사역하시는 유치원의 현장을 보면서
교육에 대해서 조금씩 생각이 열렸다.

값없이 받은 은혜 덕분에 열정을 가진 아버지,
기독교 교육학을 전공하고 중앙유치원을 여신 어머니,
덕분에 나는 자연스럽게 기독교 교육학을 전공할 생각을 품었다.

내 마음에 작은 씨앗이 심긴 것이다.
미국에 대학 공부를 하러 떠날 때 나는 하나님과 약속했다.
"하나님, 한국에 돌아오는 꿈을 가지고 공부하겠습니다."

아버지
: 아버지의 삶에 초청되다

아버지와 어머니를 존경했지만,
어떤 회유와 협박을 해도 절대
굽히지 않는 것이 있었다.
바로 목사가 되는 것이었다.
나를 회유하는 사람은
아버지뿐만이 아니었다.

교회에 갈 때마다 나는 이런 말을 들었다.
"요셉아, 아버지처럼 훌륭한 목사 되어야지."

말하는 사람이야 한 번뿐이겠지만,
하루에도 몇 번씩 듣는 나로서는
괴롭기 짝이 없었다.
게다가 아버지가 얼마나 훌륭한
목사인지를 알면 알수록 더 두려웠다.
나는 죽었다 깨어나도 아버지만큼
뛰어난 목사가 될 자신이 없었다.
나는 아예 목사가 되는 것을 시도하지 않
기로 결심했다.

그래서 미국에서 공부할 때도
아버지는 학교 근처에도 못 오시게 했다.
딱 한 번 , 내가 시카고에서 공부하고 있을 때,
아버지가 무디신학교에 강의하러 오셨다가 나를 만나러 오셨다.

어쩔 수 없이 아버지와 나는 서먹서먹하게 하룻밤을 보내야 했다.
아버지는 여전히 내가 함부로 다가갈 수 없는 존재였다.
나는 아버지가 묻는 말에 간신히 대답만 했다.

밤에 화장실에 가고 싶어서 일어나 보니,

화장실 문틈으로 빛이 새어 나오고 있었다.

아버지가 화장실 안에 계신가 보다 생각하고, 밖에서 한참 기다렸다.

그런데 아무리 기다려도 아버지가 화장실에서 나오지 않으셨다.

'어르신이 왜 이러시나?

화장실 문을 슬며시 밀어 보았다.

변기 뚜껑에 두툼한 타올 2개가 덮여 있었다.

그 위에 성경책이 올려져 있었다.

아버지는 변기 앞에 무릎을 꿇고 계셨다.

그때 나는 아버지가 나를 위해 기도하는 소리를 듣고 말았다.

"우리 요셉이 주님이 지켜 주시고…."

아버지는 시차에 적응이 되지 않아서 잠을 뒤척이셨을 것이다.

나의 잠을 방해하지 않으려고 화장실로 숨어드셨을 것이다.

그리고 얼마 동안 저렇게 기도하신 것일까.

나를 위해 기도하고 또 기도하시는 아버지의 뒷모습.

그 순간에 나도 모르게 이렇게 기도하지 않을 수 없었다.

'하나님, 저는 아버지처럼 훌륭한 목사는 될 수 없지만,
저렇게 사는 사람이 되겠습니다.'
그 순간에 나는 아버지의 삶 속으로 초청된 것이다.
그렇게도 끔찍하게 여겨졌던 목회자의 길이,
내게 너무 매력적인 삶으로 다가왔다.

참 배움은 강요되는 것이 아니라, 삶에서 얻는 것이다.
우리는 무엇이든 삶으로 가르쳐야 한다.

가끔은 우리 자녀들이 예수님을 믿는 삶에 대해
매력을 느낄까 하는 생각을 할 때가 있다.
"너 시험 공부했어, 안 했어?" "말씀 암송했어, 안 했어?"
이러한 강요 속에서
아이들은 배움을, 신앙을, 매력적인 것으로 받아들일 수 있을까?

저 사람한테 가면 내 문제가 해결되리라는 매력적인 삶,
그래서 예수님의 삶은 권위 있는 삶이었다.
누구에게든지 초청장을 내밀 수 있는 자신 있는 삶이었다.
삶은 매력적이어야 한다. 그래야 믿음을 다음 세대에 전해 줄 수 있다.

2세들
:하나님의
섭리를 읽다

테네시템플대학을 졸업하고,
트리니티대학원으로 진학하기
직전의 어느 날.
아버지로부터 연락이 왔다.
빌리 그레이엄 목사님이
로스앤젤레스에서
미국 최초로 8개 문화권 동시통역 집회를 연다고 했다.
아버지는 한국인 청중을 위한 통역자로 나를 추천했다고 했다.

예기치 않게도 나는 빌리 그레이엄 전도 집회 준비위원이 되었다.
내가 할 일은 로스엔젤레스에 있는 한인교회를 일일이 찾아다니며
집회를 홍보하는 것이었다.

하루는 동양선교교회 목사님을 만났는데, 내 손을 꽉 잡으셨다.

"저기, 우리 교회에서 청소년 연합 전도 집회 좀 인도해 주게.
내가 애들을 모으겠네.
이민 1세대의 자녀들이 이제는 청소년기가 되지 않았겠나.
그런데 부모랑 말이 통하지 않아. 보통 심각한 문제가 아니라네.

한국인 목회자 중에 영어를 잘하는 사람이 있어야 말이지.
백인 목회자와는 원 문화적 차이가 워낙 커서….
내가 진작부터 자네 같은 목회자를 찾고 있었네. 부탁하네."

너무 뜻밖의 제안이었다.
"저, 목사님 저는 이제 막 대학을 졸업했습니다.
25살밖에 되지 않았고요. 단독 집회는 한 번도 해 본 적이 없습니다."

"괜찮네. 김장환 목사님 아들이고,
지금은 빌리 그레이엄 목사님 전도단에서 일하지 않나."

'오죽하면 나처럼 젊은 전도사한테 부탁을 하실까?'
그런 마음에 일단 그러겠다고 했다.
하지만 생전 처음 하는 단독 집회, 그것도 사흘 동안이나….
쉬운 일이 아니었다.

집회 날짜가 다가올수록 초조했다.
마치 모래라도 씹어 먹은 것처럼 입안이 서걱서걱거렸다.
설교 준비를 하려고 발버둥을 쳤지만 생각대로 되지 않았다.

그런데 갑자기 이런 생각이 드는 것이다.
사실 따지고 보면 나도 2세가 아니던가.
'이제까지 나의 삶을 들려주는 것이 가장 좋겠다.'

집회 당일, 교회에 도착했을 때 내 눈을 의심했다.
생각보다 집회 규모가 훨씬 컸기 때문이다.
나는 한 백 명쯤 올까 하고 생각했는데
청소년만 천오백 명이나 빼곡히 앉아 있는 게 아닌가.

'이 아이들이 얼마나 갈급했으면
이름도 없는 사람이 온다는데 이렇게 많이 모였을까?'
마음이 찡했다. 나는 다급하게 기도했다.

'하나님, 저 아이들을 위해서 하실 말씀이 있으시다면,
제 입에 주님의 말씀을 넣어 주십시오.'

강단에 섰다.
울긋불긋하게 염색된 머리, 언뜻 보기에도 섬뜩한 문신,
다 찢어진 힙합바지를 입은 아이들이 반쯤 누워 나를 바라보았다.

언어가 통하지 않는 부모님, 고단한 이민 생활 속에 방치된 채
정체성의 혼돈을 겪고 있는 아이들의 아픔이 고스란히 전해졌다.
내가 한국말로 인사를 했다. 아이들이 술렁이기 시작했다.
"앗, 저 목사님 혼혈아야?"

나는 나의 '샌드위치 사건'을 들려주었다.
아이들이 여기저기서 훌쩍훌쩍 울기 시작했다.
아이들이 내게서 자신들의 모습을 본 것이다.
몸은 한국인인데 영어를 사용하는 자신들의 모습을.

"왜 꽁보리밥에 김치, 콩자반 안 싸 주고 샌드위치 싸 줬어요?"
나의 절규가 아이들의 마음속에서 이렇게 메아리쳤을 것이다.
"왜 샌드위치 안 싸 주고 시금치랑 김 싸 줘서 망신당하게 해요?"
뺑코라는 별명이 듣기 싫어 코를 방바닥에 문질렀다는 내 얘기에,
납작한 코를 잡아당기느라 딸기코를 만든 자신들을 떠올렸을 것이다.

누가 이 아이들이 한인 문제 청소년이라고,
갱단이며, 상습적인 마약 복용자라고 손가락질할 수 있을 것인가.
누가 이 아이들의 아픔과 고통을 진정으로 알아주었는가.

그날 간증하는 2시간 동안,
내가 감당하기 힘들 만큼 성령님의 역사하심이 있었다.

집회가 끝나자 기도를 받으려고 줄이 길게 늘어섰다.
아이들이 어느 틈엔가 무릎을 꿇고 통곡을 하는 게 아닌가.
한쪽에서는 성령 세례를 받고 고꾸라져 있는 아이도 있었다.
(사실 아내도 그 집회 때 만났다.)

이 집회 이후 나는 하루아침에 유명 인사가 되어 버렸다.
어떻게 소문이 퍼졌는지 여기저기서 집회 요청이 쏟아졌다.
미국 전역을 넘어 캐나다와 호주까지 가서 집회를 했다.

비행기를 자주 타서 공항 관계자들도 나를 알아볼 정도였다.
"이번엔 어디서 집회하세요?"
"네, 워싱턴에 갑니다. 잘 데려다 주세요."
"그럼요. 우리 기장님은 안전 제일주의자세요.
실수하는 걸 본 적이 없는 걸요."

'실수가 없다고?'

그 순간 갑자기 누군가 망치로 뒤통수를 친 것 같았다.

그렇다! 하나님은 내게 실수하신 게 아니다!
내가 혼혈아로 태어난 것은 하나님의 실수가 아니었다.
내가 이중문화 속에서 겪었던 아픔까지도 하나님이 계획하셨다.
정확하게 한인 2세가 사회 문제로 불거지기 시작할 때
나와 같이 방황하는 한인 2세 교포 아이들을 치유하기 위해
하나님이 25년 전에 준비하고 계획하셨던 것이다!
부인하려야 부인할 수 없는 하나님의 완전한 설계!
하나님의 예비하심!
그제야 나는 하나님께 원망 없이 고백할 수 있었다.

'하나님은 참으로 실수가 없으신 하나님이십니다.
저를 완벽한 설계 속에서 창조하셨군요.'

대학원 박사를 마칠 즈음, 나는 여러 길 중에 하나를 선택해야 했다.
이미 청소년 전문 사역자로 초빙하겠다는 곳이 여러 군데 있었다.
한창 이름을 날리던 때여서 그랬는지,
미국에서 생활하기에 부족함이 없을 만큼 대우해 주겠다고 했다.

하지만 아버지는 내가 돌아오기만을 기다리고 계셨다.
이제까지의 사역을 놓고 한국에 간다는 것은 쉬운 일이 아니었다.

아내를 설득하는 일도 쉽지 않았다.
아내는 결혼 전에 다짐한 것이 있는데, 목사랑은 결혼하지 않고
절대로 한국에 가서 살지 않겠다는 것이었다.
목사랑 결혼은 하게 됐지만 한국행만은 싫다고 했다.
미국이냐, 한국이냐를 놓고 한동안 고민에 빠졌다.

"네가 심어진 곳에서 꽃을 피우라"는 어머니
말씀이 머릿속을 맴돌았다.
미국에 가기 전, 하나님과 약속한 것이 떠올랐다.

생각이 거기에까지 미치자 하나님의 부르심이라는 생각이 들었다.
뒤도 돌아보지 않고 짐을 싸들고 한국으로 향했다.
하지만 그때는 한국행이 내게 어떤 절망감을 안겨 줄지 미처 몰랐다.

기독교 초등학교
꿈을
이루어간다

귀국 후,
나는 수원중앙침례교회에서 학
생부를 담당하게 됐다.

미국에서 2세 청소년 사역을
성공적으로 해냈으니,

처음 한국에 귀국했을 때만 해도 자신감이 있었다.

하지만 한국의 청소년부 사역은
하면 할수록 내게 점점 더 큰 절망감을 안겨 주었다.
미국의 한인 2세 아이들은 나의 설교를 그렇게도 좋아했는데,
한국 아이들은 거들떠보지도 않았다.
나는 아버지께 불려가서 책망을 얼마나 많이 들었는지 모른다.
"너는 한국 영성을 몰라!"

그때 나의 심정은
언제 부서져 내릴지 모르는 마른 꽃잎처럼, 아슬아슬했다.
까딱하다가는 절망의 늪으로 주저앉을 것만 같았다.

나는 몇 번이나 고민했다.

'지금이라도 미국에 돌아가야 하는 것은 아닐까.

내가 왜 한국에 왔지? 내 사역지는 미국인 게 분명해.'

하지만 아버지한테는 말할 수 없었다.

학교를 세우는 일이 바빠지면서 절망감에 빠져 지낼 여유가 없었다.

엄밀히 말하면 그때부터 기독교 교육을 공부하면서 가졌던 꿈들이

내 속에서 꿈틀대기 시작했다.

평일에는 학교, 주일에는 교회인 크리스천 스쿨을 세우기로 한 것은

단순히 건물을 다목적으로 활용하자는 것이 아니었다.

기독교 교육을 공부하면서 내가 뼈저리게 깨달은 것이 있었다.
기독교 교육은 교회에서만이 아니라 가정과
기독교 세계관에 바탕을 둔 학교가 함께 교육해야 한다는 것이다.

교회에서는 하나님을 배우지만, 학교에는 하나님이 없다고 배운다.
부모님은 교회에 다니지만 평소에는 세상 사람들과 똑같이 살아간다.
이를 보고 자라는 아이가 어떻게 참된
그리스도의 군사가 되겠는가.

어떤 자격증 없이도 부모로
세우신 하나님의 뜻에 합당한 부모,
바울이 디모데를 키우듯
모델링을 하는 부모를 세우는 교회,
기독교 세계관을 바탕으로 한
학교 교육을 함께 실시함으로써,
가정과 교회와 학교가 함께
하나님의 자녀를 양육하는 모델을
사람들에게
보여 주고 싶었다.

큰 이상을 품었는데, 복병은 엉뚱한 곳에서 나타났다.

학교를 세우려고 처음 교육청을 찾아갔다.
담당자는 우리가 제출한 서류를 거들떠보지도 않고 말했다.
"굳이 초등학교를 하셔야 됩니까? 중·고등학교를 설립하세요.
중·고등학교 신청하면 나라에서 건립비도 주고,
학교 운영 예산도 50%나 지원하는데, 왜 초등학교를 세웁니까?
중·고등학교 하신다면 바로 설립 인허가를 내 드리겠습니다!"

믿을 수 없는 말이었다. 솔직히 마음이 흔들렸다.
아버지 퇴직금을 다 보태고 선교부지를 판다 해도,
학교 하나 짓기에는 터무니없이 돈이 모자랐다.
달콤한 유혹이었다.
꿈 같은 제안이었다.

만약 그때 내게 초등학교에 대한 확고한 비전이 없었다면
나는 그 자리에서 계획을 변경했을지도 모른다.

세계관은 90%가 유치원 이전에 형성된다.

우리 나라 속담에도 "세 살 버릇 여든까지 간다"는 말이 있지 않은가.
그런데 이것이 정말일까.

세계관은 안경이다.
빨간 안경을 쓰면 빨갛게 보이고, 파란 안경을 쓰면 파랗게 보인다.
어떤 세계관을 갖고 있느냐에 따라서 세상을 보는 눈이 달라진다.
이 세계관을 형성하는 것은 언어이다.
물이 흐르는 걸 표현하는 단어가
영어에는 drip밖에 없는데,
한국어에는 졸졸, 콸콸, 퐁퐁 등 얼마나 많은지 모른다.

이러한 차이는 서양 사람과 한국 사람의 특성을 단적으로 나타낸다.
서양 사람들은 자신이 중심이 되어 환경을 바꾸는데 반해,
한국 사람들은 환경에 자신을 맞춘다.

언어를 통해 사물을 보는 탓에, 언어가 우리 사고 체계를 형성한다.
언어의 기본적인 골격은 서너 살 때 형성되고,
초등학교에 들어가면 말귀를 다 알아듣는다.
초등학교 이전에 세계관이 어느 정도 형성된다는 말이나 다름없다.

'아니지, 기독교 교육을 제대로 시키려면 초등학교를 먼저 세워야지!
초등학교가 가장 중요한 전투 라운드지!'
마음의 평정을 되찾았다.

"저요! 초등학교 아니면 학교 안 짓습니다!"

담당자는 나를 뚫어지게 보더니 할 수 없다는 표정이었다.
"지금 초등학교는 포화 상태입니다. 더 이상 지을 필요가 없어요.
그러니 정부에서도 설립 인허가를 내 줄 필요가 없지요."
결단의 대가는 지독했다.
2년 동안 초등학교 설립 인허가가 나오지 않았다.

2년이 지났을 때, 영통 지역 도시 개발 계획 소식을 들었다.
우리는 득달같이 시교육청으로 달려갔다.
"영통구에 새로운 인구가 유입되면 학생 수용에 문제가 생깁니다.
제발 초등학교 설립 허가를 내 주십시오."
그제야 시교육청은 설립 인허가를 내주었다.

내가 처음 기독교 교육에 대한 비전을 아버지께 말씀드렸을 때,

아버지는 내 비전에 두말없이 과수원 땅과 살고 계신 집터까지
몽땅 팔아 학교 설립을 지원해 주셨다.
2년의 기다림 끝에, 아버지가 알뜰히 모아 둔 선교비가
아들인 나에게 와서 싹을 틔우게 된 뜻 깊은 순간이었다.

5년의 준비를 거쳐 1994년 수원중앙기독초등학교가 개교했다.
그 1년 뒤 수원중앙침례교회의 지교회로 원천침례교회도 개척했다.

학교가 안정을 찾아가던 2000년,
MK(Missionary Kids) 네스트의 백인숙 교수님과 함께
중앙아시아에 있는 MK학교를 둘러볼 기회가 있었다.

카자흐스탄 알마티의 텐션 스쿨, 키르키즈스탄의 호프 아카데미,
우즈베키스탄의 에버그린 스쿨에서
만난 아이들이 하나같이 어디선가 본 듯한 얼굴들이었다.

'처음 보는데 왜 이렇게 낯익지?'
순간 미국의 한인 2세의 얼굴들이 떠올랐다.
그리고 어린 시절 나의 모습이 떠올랐다.

학교를 세우느라 잊고 있었던 교포 청소년 사역.

그때의 일들이 확 밀려왔다. 그 아이들도 저런 표정을 짓고 있었다.

그래, 그게 바로 이 아이들을 보고 낯익었던 이유였다.

"1990년부터 1만2천 명의 한국 선교사가 전 세계에 흩어져 있어요.

지금은 그 선교사 자녀들이 취학할 만큼 자랐지요.

그 아이들의 대부분은 집에서는 한국어를, 또 집 밖에서는 현지어를,

국제학교에서는 영어를 사용하고 있어요.

그러니 정체성의 혼란이 크겠지요.

MK 교사가 절실히 필요한 시점입니다."

백인숙 교수님이 나를 뚫어지게 쳐다보았다.

이번에도 하나님의 타이밍은 너무나 절묘했다.

우리 학교는 괜히 세워진 게 아니었다.

그 이후로 하나님은 고집스러운 나의 등을 떠미셨다.

이것은 기적이다.

어떻게 하나님은 이렇게도 치밀하실까?

어쩌면 이렇게도 세밀하게 나를 양육하셨을까?

초등학교 때 샌드위치 도시락 사건,
그 작은 사건에도 하나님의 세밀한 계획하심이 있었다.

하나님은 마치 모세의 삶을 준비한 것처럼
지금 우리의 자녀들의 삶을 준비하고 계신다.
우리의 자녀의 고통이나 아픔은 하나님의 실수가 아니다.
나의 삶처럼, 아버지의 삶처럼, 칼 파워스의 삶처럼
분명 준비하고 예비하고 계실 것이다.

아브라함도, 욥도, 요셉도
하나님이 허락하신 아픔이었기에 반문할 수밖에 없었다.
"하나님, 살아 계신가요? 왜 제 삶 속에 이런 일을 겪게 하시지요?"

하나님을 향해서 그 오랜 기간을 반문해 보았다면,
그 과정을 통과한 사람이라면,
분명 하나님의 사랑을 알게 될 때가 올 것이다.
나는 아버지 하나님의 양육 계획을 신뢰한다.
"아비의 마음으로 우리의 자녀를 양육하라."
이것이 바로 기독교 교육의 정수이다.

2부 무엇을 가르칠 것인가 : 기 도

다윈은 똑같은 자연 현상을 보았지만, 진화론을 만들어 냈다. 자연현상 그 자체가 아니라, 그것을 바라보는 관점이 중요한 것이다. 관점을 다른 말로 하면 색안경이라고 할 수 있을 것이다. 내가 보는 관점을 사람 중심의 색안경이 아니라 하나님의 시각으로 변화시키는 것이 바로 기독교 교육인 것이다.

우리는 이제까지 학교 교육과 대중문화를 통해 사람 중심의 색안경을 끼고 이 세상을 보아 왔다.그 인본주의 관점은 너무나 견고해서 이것을 신본주의로 바꾸기 위해서는 어떤 강력한 힘이 필요하다. 특별 계시인 성경과 성령이 우리의 관점을 수정하는 역할을 한다.

그런데 문제는 성경을 볼 때도 인본주의로 본다는 것이다. 그래서 말씀을 볼 때 엉뚱한 해석을 하게 된다. 우리는 말씀을 보기 전에 기도해야 한다. 성령님은 내가 성경을 바로 볼 수 있도록 하신다. 성경과 성령님을 받아들이는 통로가 바로 기도이다. 기도는 하나님 말씀에 근거해서 내 삶의 가치관을 변화시키는 활동이다. 이것이 기도와 말씀이 늘 같이 가야 하는 이유이다. 기도를 강조하는 삶이 결코 반지성주의가 아닌 까닭이다.

시카고에 무디신학교를 세운 무디는 미국학년제로 7학년, 그러니까 중학교 1학년의 학력이 전부였다. 하지만 무식하게 기도하는 그에게는 말씀을 보는 통찰력이 있었다. 그는 이론적 근거나 논증 없이도 기독교 세계관을 전했다. 나는 뒤늦게야 그것이 가능하다는 것을 알았다.

나는 오히려 기도 없이 기독교 세계관을 전해 왔다. 지금 생각해 보면 기독교인이라는 이름으로 얼마나 많은 반진리와 반예술의 부분이 많은지 등이 오싹할 정도다. 어떻게 보면 그들도 나와 같은 실수를 범하고 있는 것인지 모른다. 성령과 성령님의 도우심으로 관점의 개혁이 일어날 때 진정한 기독교 교육이 일어날 수 있다.

어떤 사람이 하나님께 훈련을 받았는지 알고 싶다면,
그가 기도의 사람으로 변화되어 가고 있는가를 보면 된다.
하나님의 살아 계심을 믿지 않는 사람은
절대로 무릎을 꿇을 수 없는 까닭이다.
아무리 성경을 많이 외우고, 각 과목을 성경적 세계관으로
가르친다 해도 기도하지 않는다면, 그건 기독교 교육이 아니다.
이렇게 단언할 수 있는 것은 이 진리를 얻기까지
우리 학교가 치러야 했던 과정이 있었기 때문이다.

PRAY

은혜의
감격 속에서
출발하다

아버지가 학교 건립을 위해 마련해 주
신 돈은 30억 원이었다.
'청렴하다고 소문난 김장환 목사님이
사실은 땅부자였군.'
하고 생각하실 분도 있을지 모르겠다.

부모님이 미국에서 한국으로 파송받아 선교사로 오실 때,
500달러의 지원금을 받으셨다. 그 돈으로 땅을 사 놓으셨다.
그때가 1959년이니까 수원은 말 그대로 깡시골이었으니
땅값이 오를 기대라고는 없었다.
그저 언제고 미국에서의 지원이 끊길 것에 대비한 것이었다.

학교 건립을 위해 집까지 파시는 바람에
교회 버스를 운전하시는 집사님 댁에 사셔야 했는데도
아버지는 언제나 환한 얼굴로 나를 격려해 주셨다.
거기까지는 좋았다.

땅을 판 돈을 손에 쥐게 되었을 때 아버지가 말씀하셨다.
"십일조 먼저 드리고 시작해야지."

전체 건축 예산의 절반이나 모자라서

여기저기 돈 꾸러 다니시는 걸 아버지도 잘 아실 텐데….

아버지가 어떻게 저러실 수가 있나, 기분이 좀 상했다.

나는 내 귀를 의심하며 볼멘소리로 물었다.

"예? 지금 이 돈으로도 턱없이 부족한데요?"

"그래도 십일조를 먼저 드리고 시작하거라.

십일조 하지 않으면 복 못 받아!"

"아버지, 그냥 우리 교회에 헌금하셨다 생각하시면 되잖아요."

나는 논리적으로 반박하면 아버지가 마음을 바꾸실 줄 알았다.

"30억 원에 십일조면 3억 원이겠구나."

"…!"

나는 입을 꽉 다물고 말았다.

평소 아버지 말씀에 순종했지만, 나도 이번만큼은 물러서기 싫었다.

일주일 이상을 아버지와 밀고 당기기를 했다. 결과는 나의 완패였다!

아버지가 하나님 앞에 세운 원칙을 깨뜨릴 장사는 아무도 없었다.

나는 꼼짝없이 십일조 3억 원을 드렸다.

그때는 솔직히 강제로 떼인 기분이었다.

건축을 시작하려고 보니 문제가 하나둘이 아니었다.
우리가 구입한 땅은 산비탈 한가운데 있는 땅이었다.
넓은 땅을 싼 값에 구해야 했기 때문에 선택한 땅이었다.
산을 다듬어야 했고, 진입로를 내는 것도 만만치 않은 일이었다.

아직 공사비의 절반도 확보하지 못한 상태였다.
이러지도 저러지도 못하고 난감한 상황의 연속….

십일조를 하고 한 달쯤 지났을까.
갑자기 한국전력 직원 몇 명이 우리를 찾아왔다.
학교 설립인가를 놓고 하도 제재를 많이 당한 터라
또 무슨 문제가 있는 건가 싶어서 가슴부터 철렁했다.
그런데 그 사람들은 우리에게 뜻밖의 제안을 해 왔다.

"일대의 아파트 설립 계획으로 고압선 지중화 계획을 검토 중입니다.
고압선이 지나가는 길에 학교 개발 계획이 있더군요.
나중에 민원이 들어올 수도 있어서 미리 협상을 하러 왔습니다."

우리는 땅 위로 고압선이 지나고 있다는 사실도 그때 처음 알았다.

학교 운동장 위로 고압선이 지나간다고 생각해 보라.
그대로 놔두면 위험천만이었을 것이다.

"고압선을 지중화하려면 땅이 필요합니다.
둘러보니 저 산 위의 땅이 제격입니다.
그 땅을 저희 측에 팔면,
철탑도 없애고 고압선도 지중화시키고 진입로도 내 드리겠습니다."

비만 피하려고 했던 나무 밑에서 우산도 줍고 열매도 얻었다!
아무튼 그 제안 덕분에 우리의 골칫거리였던 서너 가지 문제를
한꺼번에 해결할 수 있었다.
나중에 계산해 보니 우리는 약 30억 원 정도의 효과를 본 셈이었다.
그때 섬광처럼 십일조가 떠올랐다.
울며 겨자 먹기로 한 십일조였는데
하나님은 그것의 10배인 30억 원으로 되돌려 주셨다!

믿기지 않지만 믿을 수밖에 없는 이 생생한 하나님의 손길,
그 앞에 우리는 머리 조아려 감사했다.
나와 이 경험을 함께 나눈 사람들은 십일조는 확실히 한다.

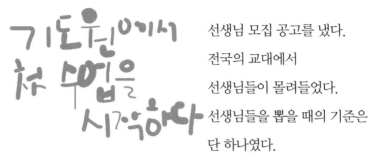
기도로 시작해서 참 수업을 시작하다

선생님 모집 공고를 냈다.
전국의 교대에서
선생님들이 몰려들었다.
선생님들을 뽑을 때의 기준은
단 하나였다.

"하나님께 교사로서의 소명을 받았는가?"
그래서 CCC나 IVF 등 대학 선교 단체 출신을 우선 선발했다.

개교 준비를 하면서 선생님들과 나의 고민은 말할 수 없이 커졌다.
아니 이건 숫제 몸부림이라고 봐야 옳았다.

"우리 학교는 기독교 학교다.
과연 이것을 무엇으로 증명할 수 있을 것인가?"
이 질문 앞에 우리는 꿀 먹은 벙어리가 되었다.

개교할 때부터 우리는 채플과 성경 시간은 아예 없애기로 했다.
하나님을 채플과 성경 시간에 가둬 놓을 수는 없기에,
힘들지만 삶과 신앙의 통합의 길에 들어서기로 했던 것이다.
수업의 시작을 기도로 열고 끝을 기도로 마무리하는 것,

날마다 큐티로 하루를 시작하는 것 이외에
정말 기독교 교육다운 교육을 어떻게 할 수 있을까.
머리를 맞대고 날마다 고민해야만 했다.

그런 와중에서도 개교일은 점점 다가오고 있었다.
개교일을 앞둔 어느 날 사무국장이 달려왔다.
얼굴이 울상이었다.
"목사님, 어쩌죠? 마무리 공사를 하는데 2-3일은 더 걸린다는데요.
책상도 납기 일자를 못 맞추겠대요."

겨우 2-3일이 연기된다는데, 한 학기를 미룰 수는 없었다.
선생님들과 상의한 끝에
평소에 친분이 있는 서울 구로동에 있는 기도원에 연락을 취했다.
"아이들 2백여 명이 되는데요, 거기서 개교 수련회를 해도 될까요?"

사고의 위험이 높았기 때문에
전교생이 함께 수련회를 한다는 것이 쉬운 결정은 아니었다.
하지만 내가 이런 결정을 할 수 있었던 것은
중앙침례교회에서 만났던 막가파 전도사님 때문이었다.

수원중앙침례교회에서 주일학교 학생처장을 맡았던 때였다.
어린이, 청소년 사역을 하면서
나는 아이들의 가려운 데를 어떻게든 긁어 주려고 했다.
월트 디즈니처럼 재미있고 온갖 화려한 프로그램을 기획했다.
황홀한 달란트 장날을 치르고, 달콤한 음식을 먹였다.
나의 사역은 더할 나위 없이 훌륭하다고 생각했다.

'말씀이나 기도는 어른이나 할 수 있는 것이니까,
애들은 그냥 잘 놀면 되지.'

그런데 하루는 교회에 여자 전도사님 한 분이 새로 오셨다.
이분은 현직 소령의 아내였는데, 정말 막가파였다.
여름성경학교 마지막 날 인형극을 하던 중이었다.
갑자기 이 전도사님이 아이들에게 회개 기도를 강력하게 요청하면서
통성기도를 30분이나 시키는 게 아닌가.
그 여자 전도사님의 갑작스러운 진행에도 놀랐지만,
나의 가슴을 더 먹먹하게 만들었던 것은 아이들의 기도 소리였다.

"아버지, 사랑해요. 아버지 저를 구원해 주셔서 감사해요."

"아버지, 저의 약함을 고백합니다.
저는 보잘것없지만, 주님이 쓰시겠다 하실 때 어린 나귀처럼
언제나 예수님께 순종하기를 원해요."

아이들에 대한 나의 판단은 착각이었다.
아이들은 기도할 수 있었다.
말씀을 자신의 삶에 적용할 줄도 알았다.
나보다 영적으로 훨씬 성숙할 수 있음도 알게 되었다.
그때 아이들은 구원의 감격으로 기도했겠지만,
나는 아이들을 어리석게 보고 과소평가한 미련함을 회개했다.

어린아이라고 기도와 말씀의 기준을 낮게 잡을 필요가 없다.
예수님은 어린아이가 내게 오는 것을 금하지 말라고 하셨다.
그 일을 계기로 혹시 어른들의 어떤 기준이, 그 교육 태도가
아이들의 영적 체험을 제한하고 있지는 않은지 늘 생각하게 되었다.

이렇듯 예기치 않게 우리 학교는 기도 속에서 출발했다.
뒤돌아보면 하나님이 기도 가운데 출발하게 하신 게 분명하다.
그렇지만 그때까지만 해도 기도가 전부인 학교는 아니었다.

기독교 세계관을 가르치는 건 어려워

"아니, 도대체 학교가 맞습니까?
저는 도저히 이해할 수 없어요."
무슨 일이냐고 물었을 때,
나는 아연실색할 수밖에 없었다.

"아니, 우리 아들 읽기 교과서가 찢어져 있는 거예요.
무슨 일이냐고 물어봤더니,
학교 선생님이 교과서를 찢어 버리라고 했다는 겁니다.
예수님을 믿는 아이들은 이런 걸 배울 필요가 없다나요?
우리 단군 신화 같은 것은 다 거짓이라나요.
네, 좋습니다. 저도 예수님을 믿는 신자예요.
그렇지만 이건 아니지요. 제 상식으로는 도저히 이해가 안 돼요.
나중에 아이들 대학 가는 것도 선생님들이 다 책임져 주실 거예요?"

간신히 학부모을 달랬다.
담임 선생님이 직접 사과하는 것으로 일단락 맺어졌지만, 문제였다.
학부모들의 항의가 점점 거세지고 있었다.

우리 학교를 고급 사립 초등학교로 알고

급하게 교회 등록하신 학부모들도 더러 있었는데,
그분들의 원성은 더 심했다.
"창조 순서 외우는 게 숙제예요? 애를 신학교에 보낸 거 아니거든요."
"아니, 맨날 기도만 하면 수업은 언제 하실 생각이죠?"
"더 이상은 못 참겠어요. 설립자를 만나게 해 줘요."

아예 하루 종일 찬양만 한다는 반이 있는가 하면,
또 어떤 반은 하루 종일 기도만 한다는 반도 있었다.

그로부터 며칠이나 지났을까,
이번에는 한 선생님이 아이들을 교실에 내버려두고
학교 기도실에서 1시간 30분이나 기도를 하는
어처구니없는 일이 벌어졌다.

나는 단단히 화가 났다.
아무리 선교 단체에서 신앙 훈련을 강하게 받았다고 해도,
그것은 신앙이 아니라 젊은 혈기로밖에는 보이지 않았다.
'그래, 버릇들을 고쳐야 해. 이게 도대체 말이 된다고 생각해?
무식하게 기도만 한다고 다야? 균형을 잡아 줘야겠어.'

"저도 목사입니다. 하지만 이렇게 '무식하게' 기도만 한다고 해서
뭐가 해결됩니까? 문제를 이성적으로 해결해야지요!
우리 학교 자체 교재를 만들든지 해야지,
기도만 한다고 기독교육입니까? 이래서야 무슨 교육이 되겠습니까?"

교재에 대한 고민은 개교를 준비할 때부터 계속되어 온 고민이었다.

"여러분, 이렇게 악기를 다루는 일은 참 아름다운 일이에요.
이렇게 음과 음끼리 만나서 서로 아름다운 음색을 내죠?
이것을 화음이라고 해요.
모든 것이 협력하여 선을 이루느니라(로마서 8:28)는 말씀과 같이,
우리는 각 지체들 간에 화합해서 아름다운 음을 이루어 내야 해요."

이런 수업을 과연 기독교적인 수업이라고 할 수 있을까?
적용이 나쁘지는 않지만, 이런 수업은 뭔가 억지스런 인상을 주었다.
그렇지만 우리는 교재를 만들지 않기로 했다. 세 가지 이유 때문이었다.

완벽한 설계도라 하더라도 이것을 인부들이 잘 숙지해서 따라 주어야
설계도면처럼 건물이 지어질 수 있는 것처럼,

교재가 좋다고 해서 기독교 수업의 실현을 보장해 주지 않는다.
그리고 수업 시간에 이루어지는 다양한 활동들을
교재 안에 모두 담는 것도 쉬운 일은 아니었다.
또한 기독교 학교가 많이 생긴다면 모를까,
앞으로 크리스천 교재가 만들어지기 쉽지 않다는 것도 알고 있었다.
학교 하나를 위해서 수천억 원을 들여 교재를 만든다는 것은
현실적으로 불가능한 일이었다.

어쩌면 음악이나 수학이나 과학은 하나의 수단에 지나지 않았다.
수학이나 과학을 가르치는 것이 아니라,
그것을 통해서 결국은 나 자신을 가르치는 것이며,
그 낮아진 내가 비로소 학생을 가르치는 거였다.
성경적 통합은 교재로 이루어지는 것이 아니라
마음 안에서 이루어졌다.
교재는 필요하고 중요한 것이지만,
그보다 선행되어야 할 것은 교사라는 존재였다.

이 난관들을 어떻게 극복하고 참된 기독교 교육을 할 것인가.
선생님들과 아무리 세미나를 열어도 뾰족한 방법이 나오지 않았다.

산 너머 산이라더니

그러는 중에
학교가 소송에 휘말리는 일까지
벌어졌다.

"저, 오늘 이 자리를 연 것은…."
학교 책임자들이 다 모였지만 입을 떼기가 쉽지 않았다.

예수님처럼 삶을 통해 교육을 하는 것이 우리 학교의 교육론이므로,
우리 학교는 이혼 경력이 있는 사람은 교직원으로 뽑지 않는다.
그런데 선생님 한 분이 이혼하신 사실을 감춘 것이 들통난 것이다.

"우리 학교가 세운 원칙이 있으니, 원칙을 지켜야지요."
입장은 정해졌지만, 다들 마음이 편할 리 없었다.
"교사직이 아닌 행정직으로 옮겨 드리면 어떻겠습니까?"
다들 그 의견에 찬성을 했다.

내가 그 선생님을 만나 학교 측의 입장을 전달했다.
그런데 그분은 이 제안을 거절하고 소송을 걸었다.

인권과 종교적 특수성의 대립이라는 민감한 사안이었다.

게다가 전례가 없는 사건이기도 했다.

'신설 학교라 교육이 탁월하다고 소문이 나도 시원찮을 판에,

지역 사회가 떠들썩한 불미스러운 일이 생기고 말았으니

이 일을 어쩌면 좋을꼬…. 재판장에 다 서게 되었으니….'

우리 측 변호사는 충분히 승소할 수 있다고 했다.

단, 담당 판사가 인권에 예민한 그 판사만 아니라면….

재판을 앞두고 나는 기운이 축 빠졌다.

담당 판사가 우리가 두려워해 마지않던 바로 그 인권 판사였던 것이다.

재판이 열리는 날.

상대편 변호사의 변론이 시작되었다.

"수원중앙기독초등학교는 분명히 교회가 아니라 학교입니다.

종교적 신념으로 교사를 고용하는 것은 불평등합니다.

지나친 종교적 가치 강요로 원고는 불이익을 당했습니다.

이는 명백한 인권 침해입니다."

상대편 변호사의 변론은 아주 명쾌했다.

듣기에 따라서는 매우 타당하게 들리기도 했다.

한순간 우리 학교는 몰인정하고 배타적이며

종교만을 강요하는 이기적 집단처럼 돼 버렸다.

나도 그랬는데 믿지 않는 사람들, 특히나 인권 판사에게는 어려했을까.

'우리가 지겠구나.' 싶었다.

우리 측 변호사는 우리 학교가 사립학교이므로

설립 이념에 따라 학교 행정을 펼 수 있다는 점을 강조했다.

나는 손바닥에 식은땀이 다 났지만, 한 가지 믿는 구석이 있었다.

'하나님은 분명히 성경적 가치를 지키고자 하는 충정을,

거기서 비롯된 우리의 중심을 받아 주실 거야.'

드디어 판사의 마지막 판결만 남았다.

판사는 카랑카랑하지만 엄숙한 어조로 판결문을 읽었다.

"이 사건은….

불평등 고용이냐 학교의 특수성이냐에 관한 사안으로서,

이 학교는 기독교 학교이기에 성경적 가치로 행정할 수 있다.

그러므로 학교의 결정 사항은

적어도 이 학교 내에서는 적법한 것으로 인정한다. 탕탕탕!"

당사자인 그 선생님께는 지금도 미안하지만,
우리로서는 학교를 지탱하는 성경적 가치를 지킨 사건이었다.

이런 크고 작은 일들을 겪는 와중에
개교한 지 4달이 지나지 않은 9월,
전교생 4백 명 중에 80명이나 한꺼번에 전학을 갔다.
학부모의 입장에서 보면 우리 학교의 교육 태도가 지나치게 안이하고
확실한 비전 없이 세워진 뜨내기 학교처럼 보였을지도 모르겠다.

첫해 그런 엄청난 일을 겪고 그 충격에서 채 빠져나오기도 전에,
그 다음 해에는 대외적으로 더 황당한 일을 겪어야 했다.

우리 학교 이름이 중앙 일간지에 대문짝만하게 실렸다.

수원중앙기독초등학교는 공개 축첩하라!

교인 들에게 특혜를 베풀지 말라!

아무리 사립학교라지만 학교는 개인 것이 아니다.

더군다나 일개 교회 목사의 것도 아니다.

수원에 있는 사립 초등학교인 수원중앙기독초등학교는

교주 같은 김장환 목사의 뜻에 따라 자기 교회 사람들만 뽑는다.

일반 추첨할 때도 목사 마음에 들어야 뽑힌다.

이것은 말도 안 되는 특혜다….

신문을 읽다 말고 물을 벌컥벌컥 들이켜야 했다.
수원 교육청에서도 진위를 파악하려고 들썩들썩했다.
졸지에 우리 학교는 '비리의 온상, 특혜 학교'가 되었다.

기사가 나간 배후를 알아보았다.
아니나 다를까 예상했던 그 신문 기자였다.

얼마 전 신문 기자가 우리 학교에 자녀를 입학시키고 싶다며 찾아왔다.
추첨에 떨어졌다면서, 그래도 어떻게 넣어 달라고 했다.
그때 나는 솔직하게 말했다.

"저희는 설립자인 김장환 목사님의 부탁도 들어드릴 수 없습니다.
저뿐만 아니라 학교 관계자 모두가 정직하게 행정을 하고 있습니다."
나는 잘 설득을 해서 보냈다고 생각했다.

그런데 그 기자가 우리 학교가 공개 추첨 이전에
교인 자녀를 먼저 뽑는다는 것을 꼬투리 삼아서
신문에 신랄한 비판 기사를 썼던 것이다.

교육부가 인정한 우리 학교 정관에는
'교인 자녀 우선 입학'이라는 기준이 분명하게 명시되어 있다.
처음 교육부에서 내려 보낸 정관에는 없었던 것이지만,
기독교 학교 특성상 몇 가지 항목을 덧붙였는데,
다행히 교육부에서 통과시켜 준 것이었다.
이 항목은 교인들에게 특혜를 주기 위해서가 아니었다.
교육은 가정과 교회와 학교가 함께해야 한다는
우리 학교의 설립 정신을 반영한 것이었다.
그 외의 모든 입학 절차는 원칙대로 진행되었기 때문에
학교로서는 아무 문제가 없었다.

누구의 오해건, 누가 옳았건 간에
학교 이미지가 추락하는 데 일조한 사건임에는 분명했다.

그뿐만이 아니다. 한 번은 이런 일도 있었다.

"목사님, 어쩌지요? 우리 학교가 시험지를 유출했다면서
지금 방송사에서 취재를 오겠대요."
그때 내 얼굴도 교장 선생님 얼굴만큼이나 파랗게 질렸다.

알고 보니 사건의 발단은 이러했다.
경기도 교육청에서 도 단위로 보는 학력고사가 있는데,
우리 학교 선생님 한 분이 학력고사 하루 전 날 시험을 미리 치렀다.
거기까지는 좋았다. 그런데 이 순진한 선생님이 결정타를 날렸다.
복습하라고 아이들한테 시험지를 나눠 주었다는 것이다.

그 반 아이 한 명이 학원에 가서 학력고사를 이미 보았다고 말했고,
그 이야기를 들은 학원 선생님이 그 아이에게 시험지를 받아서
학원 아이들한테 학력고사 문제를 미리 다 알려 준 것이다.
결국 다른 학교에 다니는 아이들의 학력고사 성적이 좋을 수밖에….
그 학원에 다니는 아이가 학교 선생님에게
부정행위를 한 것으로 오해를 받자,
그 아이는 전날 학원에서 일어난 일을 낱낱이 털어놓았다.
시험지가 나온 경위를 캐묻다 보니
결국 우리 학교에서 시험지를 부정 유출한 셈이 되고 말았다.

경기도 내 학력고사를 망치고 말았으니, 그야말로 학교가 흔들렸다.

언론 매체에서는 떠들어대기 시작했다.

수원시 교육청에서도 나와 교장을 오라 가라 난리가 났다.

우리 학교의 실수가 명백했으므로,

우리는 무조건 사과하고, 용서를 구하기로 했다.

저녁 9시 뉴스에 우리 학교가 방송된 다음 날,

우리 선생님들은 담당 기자에게 전화를 걸었다.

"잘못을 돌이킬 수 있는 기회를 주셔서 감사합니다."

이 일로 경찰서에 불려 간 교장 선생님도 담당 형사에게 말했다.

"정말 저희 불찰입니다. 이 사건을 계기로 많이 배웠습니다.

잘못한 부분에 대해서는 저희가 응분의 처벌을 받겠습니다."

이 말을 듣고 담당자가 당황스러웠는지

별 희한한 사람이라면서, 더 이상 죄인 취급하지 않았다고 한다.

이런 일이 계속해서 터지니까 하나님 앞에 마음이 점점 낮아졌다.

하나님께 매달려 기도하지 않을 수 없었다.

그럼에도 아직은 '무식하게' 기도하는 사람은 되지 못했다.

학교냐 선교사 양성소냐?

개교한 지 4년이 될 무렵,
학교는 어느 정도 안정을
찾아가고 있었다.

1999년 여름, 나는 서울외국인학교
기독교사대회에 참석했다.
세미나 주강사였다.
대회가 끝나자,
나를 만나겠다고 사람들이 줄을 섰다.
카자흐스탄, 우즈베키스탄, 러시아 등에서 온
외국인학교 대표들이었다.

'허참, 난 왜 이렇게 오나가나
인기가 많은 거야!'

짐짓 즐거운 마음으로 그들을 맞이했다.

그들은 나를 보더니 거두절미하고 대뜸 이렇게 말했다.

"저는 필리핀에서 왔습니다.

그런데 우리 학교에 한국인 선교사 자녀가 30명이나 있어요.

아이들은 영어를 못하는데,

선생님들 중에는 한국어를 하는 선생님이 없습니다.

목사님은 기독교 학교를 운영하고 계시니까

한국인 선생님을 어떻게 연결해 주실 수 있지 않을까요?

우리 학교에 MK(Mission Kids)를 위한 선교사 좀 보내 주세요.

"저는 러시아에서 왔습니다…."

"저는 우즈베키스탄에서 왔습니다…."

한결같이 똑같은 말이었다.

한국 선교사 자녀를 위한 한국인 교사가 필요하다는 것이다.

'MK 선교사라….'

마음도 뜨거웠고 절실함도 알았다.

하지만 교육 과정을 전수해 주는 정도로만 생각했지,
이렇게 교사를 몇 년씩 보내는 것까지는 아니었다.

속으로는 이런 걱정을 하고 있었다.
'우리 학교 선생님들이? 그럼, 당장 우리 아이들은?'
이런 현실적인 것부터 시작해서
우리 학교가 그 일을 할 수 없는 갖가지 이유가 떠올랐다.
'그래, 난 기독교 교육을 위해서 학교를 세운 것이지,
선교사 양성을 위해서 학교를 세운 것은 아니니까.'

하지만 돌덩이 같은 것이 마음 한구석을 짓누르는 것 같았다.
찜찜한 마음이 영 사라지지 않았다.
이런 마음을 혼자 담고 있기에는 너무 무거웠다.

할 수 없이 교사 회의 시간에 지나가듯 한마디 던졌다.
"우리 학교에서 MK를 위한 교사 선교사를 보내는 거…,
어떻게 생각하십니까?"
나는 사실
'좀 생각해 봐야겠는데요.' '그것 말고 다른 방안을 모색해 보지요.'

하는 답변을 기대했다.
그런데 선생님들의 반응은 나와 너무 달랐다.

"와! 드디어 기도에 응답하셨네요."
"우리 학교가 선교할 수 있게 해 달라고 학교 설립 초기부터
지금까지 무려 5년 동안이나 기도해 왔거든요!"

망치로 뒤통수를 세게 얻어맞은 느낌이었다.
'교사들이 겁도 없이 목사인 나를 놓고 기도하고 있었다?'
방학 중에 자비로 선교를 떠나는 것도
학교 생활에 지장을 주지 않을까 내심 못마땅했는데,
그 무식하게 기도하던 선생님 일당이
하나, 둘씩 우리 학교를 향한 하나님의 뜻을 헤아리고 있을 때,
목사인 나는 그저 우리 학교만 생각하기에 바빴던 것이다!

너무 인간적인 생각만 앞섰던 내 모습이 민망했다.
예배실인 다윗관으로 올라가서 하나님 앞에 무릎을 꿇었다.
결국 나를 향한 하나님의 뜻 앞에 고꾸라지고 말았다.
나를 TCK(Third Cultural Kids)와 MK로 이 땅에 보내신 하나님,

미국의 기독초등학교를 경험하게 하시고
기독교 교육을 전공하게 하신 하나님,
우리 학교를 설립하게 하신 하나님….

더 이상 도망갈 곳이 없었다.
순종하기가 싫었지만, 하나님의 뜻을 알았으니 싫어도 순종할 수밖에.

선생님들과 함께 교사 선교를 어떻게 할 것인지에 대해 의논했다.
회의 중에 갑자기 '십일조'가 떠올랐다.
'하나님, 이 마당에 십일조를 왜 생각나게 하시는 건데요?'
나는 마음속으로 하나님께 볼멘소리를 했다.

그때 누군가 말했다.
"교사를 십일조 하는 건 어때요?"
나는 놀라서 펄쩍 뛸 뻔했다. 하나님의 뜻이 아니고서야 어떻게….
십일조를 하겠다는 데 목사가 안 된다는 말을 할 수도 없고….

그때 멋진 생각이 떠올랐다.
'맞아요. 교사보다 선교사에 더 어울리는 열혈파 선생님들이 있지요!

하나님, 제가 선교지로 보내고 싶은 선생님이 있습니다.'

생각이 거기에 미치자 갑자기 마음이 조금 가벼워졌다.
나는 곧바로 MK 선교사를 모집한다고 발표했다.

"교사 십일조는 2000년부터 시작합니다.
MK 선교사로 지원하실 선생님은 개인적으로 저를 만나러 오세요.
장소는 알바니아, 카자흐스탄, 러시아 등등이고
교사 혼자가 아니라 가족이 함께 가는 것을 원칙으로 합니다.
저와 상담한 후에 결정하도록 하겠습니다."

그러면서 눈도장 찍힌 열혈파 선생님들을 위해 기도했다.
그분들이 꼭 헌신할 수 있기를.
그날 바로 누군가 내 방문을 두드렸다.
"누구세요?"
"네, 최형석입니다."
이름을 듣는 순간 가슴이 철렁했다.
'이 선생님은 안 되는데, 설마 선교사 지원하려고?'
최형석 선생님이 내 방문을 열고 성큼성큼 들어섰다.

"제가 선교사로 가고 싶습니다. 보내 주십시오."

최형석 선생님은 초등학교에서는 보기 드문 남자 선생님이었고
두고 볼수록 알맹이가 꽉 찬 열매 같았다.
과학 잘하지, 예체능 잘하지, 자기 관리 잘하지,
아이들 습관 잘 들이지, 교실 정돈 잘 돼 있지….
어떤 일을 맡겨도 늘 활기차게 빈틈없이 해냈다.
그러면서도 언제나 기도가 우선이었다.
새벽기도, 저녁 9시 기도, 그냥 기도, 혼자 특별기도 등등
어떤 이름을 달아서라도 틈만 나면 기도하는 사람이었다.
'흠, 아무리 봐도 교장감이야.'
이렇게 생각하고 점 찍어 둔 선생님이 바로 최형석 선생님이었다.

그런데 그가 지금 난데없이 쳐들어와
선교사로 보내 달라고 생떼를 쓰고 있는 것이다. 기가 막혔다.
"부부나 가족이 함께 가는 걸 원칙으로 하는데 괜찮으시겠어요?
아내가 공립학교 선생님이시라면서요?"
공립학교는 휴직계를 받기가 쉽지 않다는 사실부터 상기시켰다.
사전 방어벽을 친 것이다.

"목사님, 저어, 제 꿈은….
복음이 전해지지 않은 곳에 가서 복음 전하며 살다 죽는 것입니다.
지금이 바로 그때인 것 같습니다."

'꿈이라니요? 이곳도 꿈을 충분히 펼 수 있는 사역지 아닙니까?'
이 말이 목구멍까지 올라왔지만 참았다. 끝까지 말리고 싶었다.
"선생님, 나중에도 기회는 있으니까
이번엔 다른 선생님이 가시는 게 어떨까요?"

그러자 선생님은 조용한 목소리로 말했다.
"그건 저의 소원이 아니라 서원이었습니다.
그걸 못 지킨다면 학교를 떠날 수밖에 없을 것 같습니다."

'아니, 이젠 협박까지?'
그건 거의 마지막 카드였다.
서원이라는 데 목사가 말릴 수는 없지 않는가.
거의 울며 겨자 먹기의 심정으로
최 선생님 가족을 알바니아 MK 선교사로 파송했다.
하지만 그때까지도 몰랐다. 그가 한 알의 밀알이 될 줄은….

한알 학교의 시작

최 선생님은 새천년 6월 알바니아로 들어갔다. 백인숙 교수님의 자문을 받아 MK 학교를 시작하러 간 것이다.

그때는 코소보 사태로 알바니아 선교사들이 다 쫓겨 나오던 무렵이다.
백인 선교사들이 떠나간 빈 자리를 한국 선교사들이 지키고 있었다.
위험한 만큼 한국 선교사들의 자녀 교육이 시급한 상황이기도 했다.

물도 전기도 정해진 시간에만 사용할 수 있고, 난방 시설도 없는
척박한 땅 알바니아.
최 선생님은 그곳에 학교 세우는 작업을 혼자 해야 했다.
6월에 들어가서 9월에 거의 학교의 모양새를 갖추었다.
최 선생님이 워낙 몸을 아끼지 않는 분이라 가능했던 일이지 싶다.

말이 학교지 사실은 2층짜리 가정집이었다.
1층은 최 선생님 집으로, 2층은 학교로 꾸몄다.
이름은 '한알학교'.

… 한 알의 밀알이 땅에 떨어져… 죽으면 많은 열매를 맺느니라 (요한복음 12:24)

삶으로 가르치는 것만 남는다
116

성경 말씀과 한국, 알바니아의 첫 글자를 딴 이름이었다.

우리는 그 이름을 듣고 모두 좋아했다.

한알학교는 '방과 후 학교'였다.

선교사 자녀들은 GDQ(MK들을 위한 국제학교)에서 수업을 받지만

GDQ 수업은 영어로만 진행되기 때문에

영어를 잘 못하는 우리 아이들은 상대적으로 뒤쳐질 수밖에 없었다.

그래서 한알학교 수업은 국어, 수학은 물론

미술, 음악, 체육에 이르는 특별 활동까지 다양하게 이루어졌다.

최 선생님의 특기는 미술과 체육이었다.

한알학교 아이들이 야외 공원에서 배드민턴을 치거나 공놀이를 할 때면

현지 아이들이 몰려와서 구경을 하다가는

심술이 나서 그랬는지, 친해지고 싶어서 그랬는지

자꾸 돌을 던져서 야외 수업이 중단되기도 했다.

서예교실, 단소, 리코더 수업 등 엄유심 선생님의 특기도 발휘되었다.

학습이 부진한 아이들은 저녁을 먹여 가며 공부를 가르쳤다.

11월이 되면 4시만 돼도 캄캄해서 공부하기 어렵고,

나머지 공부할 때면 호롱불을 써야 할 만큼 상황은 열악했다.
하지만 현지 선교사님들과 아이들의 표정이 살아나는 걸 보면
힘든 줄도 모른다고 했다.

자식을 군대 보낸 느낌이 이럴까? 최 선생님이 보고싶어 좀이 쑤셨다.
마침 헝가리에서 볼 일이 있어 가는 길에 알바니아에 들르기로 했다.

"최 선생님, 지나가는 길에 잠시 들를까 하는데, 필요한 거 없으세요?"
"목사님 오신다는 말씀 들으니까 벌써 힘이 나는데요.
그런데 필요한 거 많은 줄 어떻게 아셨어요?
저기 우리나라에 흔한 전기를 좀 가져오시면 좋겠는데….
하하하! 다 있으니까 그냥 오셔도 됩니다.
그래도 손이 심심하시면 헌옷 좀 갖다 주세요."
최 선생님은 사람의 마음을 편하게 해 주는 은사가 있었다.

우리 가족은 벼룩시장을 다니며 생필품과 옷가지를 샀다.
우리 가족이 한알학교에 도착해서 옷 보따리를 풀어놓았다.
우주복처럼 생긴 아기 옷을 보자마자 엄 선생님은 소리쳤다.
"와, 아기 옷이다!"

태어난 지 몇 개월이 채 되지 않은 둘째 아이에게
그 옷을 입히면서 그렇게도 좋아했다.
"난방이 안 돼서 아기 감기 걸릴까 봐 늘 걱정이었거든요. 감사해요."
가진 것이 많지 않아도 능히 잘살 수 있는 일체의 비결.
최 선생님 부부는 이미 그것을 배운 모습이었다.

그동안 알바니아에 우리 선생님들을 보내는 것이 썩 내키진 않았다.
정식 수업이 아니라 방과 후 학교였기에
고급 인력을 너무 낭비하는 것 같은 생각이 앞섰던 것이다.
하지만 해처럼 밝아진 아이들의 얼굴을 보며 뒤늦게야 깨달았다.
'어느 곳이든, 어떤 상황이든
하나님이 가라 하시는 곳에 가는 것이 진짜 선교구나!'

이렇게 최형석 선생님 내외를 선두로,
하태동 선생님, 장진갑 선생님, 박영주 선생님, 최병준 선생님,
장은수 · 최승옥 선생님 부부, 조석강 · 송미정 선생님 부부가
선교의 대열에 참여했다.
예로부터 초등학교 남자 선생님 구하기가 하늘의 별 따기라는데
교사 십일조 이후 우리 학교에는 유독 남자 선생님들이 많다.

한 알의 밀알

"잠시 알바니아에 다녀오겠습니다."
"아니, 왜 또 가세요? 곧 개학인데
새학기 준비하려면 좀 쉬셔야지요."
"제가 올 때 GDQ가 이사를 했거든요.
새로운 선생님이 가시면
다시 준비해야 할 것이 많아서
좀 도와드려야 할 것 같습니다. 와서 쉴 테니까 걱정 마세요."

최 선생님 부부는 알바니아에서 만 2년을 꽉 차게 사역하고 돌아왔다.
말이 2년이지 다른 사람이었다면 그곳에서 한 사역은
거의 4~5년에 걸쳐서 할 수 있을 만한 분량이었다.

선생님은 돌아오기 전, 후임 MK 선교사들의 입지를 위해
굳이 자신이 하지 않아도 될 일까지 도맡아했다.
보통 사람 같으면 피곤하기도 하고 그동안의 긴장도 풀려서
귀국해서는 쭉 뻗을 만도 한데 다시 또 나간다니 걱정이 됐다.

선생님은 개학을 며칠 앞두고 돌아오셨다.
그때 마침 은사계발팀이 공석으로 있어서 팀장을 맡겼다.

역시나 생각대로 그 짧은 기간 동안에
은사계발팀의 프로그램들을 착착 잘 진행시켰다.

'정말 파워풀해. 어쩜 저렇게 활기 넘치게 일을 해내지?'
나 혼자 속으로 감탄한 적이 한두 번이 아니었다.
사실 최 선생님의 힘은 기도에서 나오는 것인지도 몰랐다.
선교지에 갔다 오고부터는 기도 시간이 더 많아졌다는 소문이었다.

그런데 그 이듬해, 2004년 봄쯤이었다.
최 선생님이 현관 소파에 앉아 계시는 것을 보았다.
"웬일로 이런 데서 쉬고 계세요? 누구 기다리세요?"
"아니, 그냥 좀 어지러워서…."
"그러니까 기도도 좀 쉬어가면서 하세요."
우리는 서로 농담하며 즐겁게 헤어졌다.

저녁에 집에 왔는데 아내가 최형석 선생님 안부를 물었다.
"최 선생님 어디 편찮으세요?"
"글쎄, 특별히 아픈 것 같지 않던데?"
"아니, 엄 선생님이 마더와이즈(원천침례교회 어머니 성경공부 프로그램)에

최 선생님 컨디션이 좋지 않은 것 같다고

기도 제목을 내놓았기에 물어본 거예요."

최 선생님의 힘없는 모습이 생각났지만, 별것 아니려니 하고 넘겼다.

그 뒤로 3, 4개월이 지났을까, 최형석 선생님이 나를 찾아왔다.

"무슨 일 있으세요?"

나는 학교에 관련된 일이려니 하고 무심히 물었다.

"병원에 좀 가 봐야 할 것 같아요.

초점이 잘 안 맞고 혀가 좀 안 돌아가서요."

"그러세요. 혀가 잘 안 돌아가는 건 사투리 때문 아닌가요?"

최 선생님이 워낙 대구 사투리가 심했기에 농담을 건넸다.

이번에는 뒤끝이 개운하지 않았다.

최근에는 안과 검진을 받았다는 말도 들은 터였다.

"내친김에 종합검진 받고 오세요. 건강한 걸 확인하고 오세요. 꼭요!"

나는 큰소리치며 보냈다.

하지만 대학병원 종합검사로도 뚜렷한 원인을 알아내지 못했다.

언뜻 보기에도 최 선생님의 몸은 계속 나빠지고 있었다.

결국 그 다음 달에 MRI를 찍었는데, 결과는 너무나 뜻밖이었다.

악성뇌종양.

뇌신경 안쪽으로 종양이 자라고 있다고 했다.

그래도 혹시나 실오라기 같은 소망이라도 얻을까 해서

연세대 세브란스병원에 가서 다시 검사해 보았다.

하지만 결과는 똑같았다.

종양이 너무 많이 자라서 수술도 할 수 없다고,

남은 치료는 약물과 방사선뿐이라고 했다.

길어야 6-8개월밖에 못 산다고 했다.

믿을 수 없었다. 그럴 리가 없었다. 아니, 그러면 안 되는 거였다.

청천벽력이라는 표현도 이럴 땐 너무 하찮았다.

"하나님, 왜요? 도대체 무엇 때문입니까? 하나님도 아시잖아요.

최 선생님이 하나님을 얼마나 사랑하는지…."

마음속 깊은 데서 절규가 터져 나왔다.

내가 할 수 있는 일이라곤 머리를 굴리는 일이 아니라

하나님께 기적을 구하는 일뿐이었다. 기도밖에 할 게 없었다.

우리 학교에서는 새벽부터 밤까지 기도회가 열렸다.

누가 먼저랄 것이 없었다.

'어른들이 새벽기도를 가면 아이들이 방치된다.

그건 가정을 세우는 일이 아니다. 우리 교회는 새벽기도하지 않겠다.'

그렇게 주장했던 나였다.

상황이 달라졌다. 나는 손수 새벽기도회를 열었다.

학부모들은 월요 기도 모임을 열었다.

성도들도, 학생들도 모두 한마음이 되어 기도했다.

기도의 응답인지, 선생님의 병세가 호전되는 것 같았다.

병원에서도 종양이 더 자라지 않고 있다고 다행이라고,

더 지켜보자고 했다.

선생님의 안색도 좋아지는 것 같았다.

우리는 더 뜨겁게 기도하며 조심스럽게 믿음과 소망을 키워 갔다.

'그래, 하나님이 분명히 기적처럼 낫게 해 주실 거야.

우리에게, 아이들에게 하나님의 능력을 보여 주시려는 게 분명해.'

나뿐만 아니라 기도하던 우리 모두는 그렇게 생각했다.

하지만 그것도 잠시, 병세는 갑자기 악화되었다.
더 이상 할 것이 없다고, 병원에서는 퇴원 조치가 내려왔다.
알바니아에서 돌아와 집도 마련하지 못한 채 학교 게스트하우스에서
지내고 계셨기에, 최 선생님 가족을 우리 집으로 모셨다.

기적을 베풀어 달라는 간절한 기도는
걷잡을 수 없는 불길처럼 학교 구석구석으로 번져 나갔다.
일주일에 한 번 모이던 중보기도팀은
날마다 최 선생님과 예배를 드렸다.

학교에는 '하잠멈' (하던 일을 잠시 멈추고 하는 기도)이 선포되었다.
언제 어디서라도 '하잠멈' 을 알리는 음악만 울리면,
누구나 그 자리에 멈춰서 기도하기로 한 것이다.
하잠멈이 선포되면
수업을 받던 아이도, 축구 시합을 하던 아이도, 수영을 하던 아이도
마치 누군가 '얼음' 을 외친 것처럼 꼼짝 않고 멈춰 서서
최 선생님을 위해 기도했다.
이제 갓 입학한 1학년 학생들이 양손을 꼭 모아 쥐었다.
그 기도하는 모습을 보면서 나도 모르게 눈물이 흘렀다.

그제야 최 선생님이 왜 그렇게 틈만 나면 기도했는지 깨달아졌다.
'제가 선생님을 사랑하니까 기도가 절로 되는 것처럼,
선생님은 우리 아이들과 학교와 뭇 영혼들을 너무 사랑하셨군요.
이렇게 기도할 수밖에 없는 사랑이 선생님 안에 있었군요!'

하지만 우리의 기도와 상관없이 최 선생님은 병세가 점점 악화되었다.
소화 기능도 멈추었고, 걷는 것은 물론 말하는 기능도 잃어 갔다.

나는 출근 전에 꼭 최 선생님을 찾아갔다.
기도하면 자꾸 눈물이 났기 때문에 그 대신,
최 선생님이 좋아하는 시편 말씀을 한 장씩을 읽었다.
그러면 선생님은 마치 응답처럼 내게 축복 기도를 해 주었다.
말을 하지 못하는 대신, 자신이 만든 간단한 수화로.

"당신은 하나님의 자녀입니다.
당신은 하나님을 위해 큰일을 하실 겁니다….
하나님, 우리 학교가 기도하는 학교가 되게 해 주세요."

내가 시편을 읽어 줄 때마다 한 번도 거르지 않고

나를 위해 기도해 주었다.

그 기도 소리를 들을 때마다 은혜가 빗줄기처럼 쏟아졌다.

후두둑 후두둑 눈물이 빗줄기처럼 쏟아졌다.

내가 그분을 위로해 주고 격려해 주어야 하는데,

이상하게도 날마다 내가 위로를 받고 격려를 받았다.

그 시간은 내가 선생님을 위해 뭔가를 한 시간이 아니라

하나님이 최 선생님을 통해 내게, 그리고 우리 모두에게

무언가 말씀하신 시간이었다.

최 선생님의 병세는 점점 지독해졌다.

최 선생님은 그 상황에서도 온화함을 잃지 않았다.

자신을 방문하는 한 사람 한사람을 오히려 축복했다.

최 선생님은 고통 중에도 쉬지 않고 기도했다.

나는 최 선생님을 통해 쉬지 말고 기도하라(데살로니가전서 5:17)는

하나님이 말씀이 실현되는 걸 지켜보았다.

"… 우리 학교가 기도하는 학교가 되게 해 주세요."

2004년 9월 2일, 최 선생님은 마지막 유언을 남기고

발병한 지 1년 만에 우리 곁을 떠나 하나님 품으로 갔다.

그대
서른세 해
이 땅을 거닐었구나
예수님처럼

마지막 삼 년은
남김 없이
남에게 드려지는 삶이었구나
예수님 공생애처럼

그대 최후의 날들은
겟세마네 동산의 예수님처럼
"아버지의 뜻이어든 지나가게 하옵소서"
기도로 엎드렸구나

그리고는
마침내
목이 말랐구나

주께서 "다 이루었다" 하시매
그 장한 경주를 마쳤구나
선한 싸움을 다 싸웠구나

먼 이방에
한알학교를 세우더니
그대
한알의 밀알이 되었구나

아, 그대는
땅에 떨어져 썩어야만 싹이 나는
씨알 하나를
우리 모두에게 심어 놓고 떠났구나

우리로
그렇게 주님 바라게 하더니
우리로
그렇게 사랑하게 하더니
우리로
그렇게 부활을 사모하게 하더니

그대만 영광스레
먼저 입성했구나
영원 속에서
그토록
그리던 주님 품에 안기었구나

"다만 내 비는 말
내 구주 예수를
더욱 사랑
더욱 사랑"

그대는 이제
다함없이 찬양하며
그 사랑을
한없이 누리겠구나

그리고
이전보다 더
우리를
힘껏 응원하겠구나

이전보다 더
뜨겁게
뜨겁게
우리 안에
살아 있겠구나

2004년 9월 2일 최형석 형제 천국 입성한 밤에, 백인숙

한지의 인자도 없는 기도응답

최형석 선생님의 천국 환송 예배,
그후 3주 동안은 아무 일도
손에 잡히지 않았다.

자신에게 가장 헌신한 자를
데려가시고,

그의 마지막 유언마저도 거둬 주시지 않는 하나님….
그의 유언대로 기도하는 학교가 되려면
우리의 기도에 응답해 주셨어야 하지 않겠는가,
그래야 우리가 하나님을 신뢰하고 기도하지 않겠는가.
최 선생님이 아픈 동안 우리가 배운 것은 패러독스뿐이었다.

마지막 순간에도 나는 하나님이 최 선생님을 치유해 주실 줄 알았다.
기적을 베푸실 줄 알았다.
지도자인 내가 미천했을지라도
우리 학교 아이들과 교인들의 기도에는 응답하실 줄 알았다.
우리 학교의 기도의 불이 하늘 길을 밝힌 줄 알았다.
그런데 하나님은 결국 그를 데려가셨다.
나는 하나님께 묻지 않을 수 없었다.

"하나님 왜죠? 그는 하나님께 가장 헌신적이었던 사람이지 않습니까?

저야 괜찮습니다. 어른들이요? 괜찮습니다.

어린 아이들이 '왜죠?' 하고 물어보면 저는 뭐라고 대답을 합니까?"

실제로 몇몇 아이들이 나를 찾아와 이렇게 묻기도 했다.

"목사님, 우리가 그렇게 기도했는데도 왜 최 선생님은 돌아가셨어요?
하나님은 제 기도에 응답하지 않으신 것 같아요."

나도 잘 이해할 수 없는데, 아이들에게 어떻게 설명해 준단 말인가.
나는 간신히 이렇게 말해 줄 수밖에 없었다.

"기도는 마술 상자가 아니야. 기도는 삶이야.
기도는 하나님과 만나는 거야. 하나님께 맡기는 거야.
우리 뜻대로 이루어지는 것만이 기도 응답은 아니야.
우리를 만드신 하나님의 생각을 피조물인 우리는 다 알 수 없어.
하지만 분명한 것은 하나님은 우리를 사랑으로 다스리신다는 거야.
나중에 천국에 가면 하나님이 최 선생님을 먼저 데려가신 것이
왜 지금 우리 기도의 응답이었는지를 알게 될 거야."

하지만 놀랍게도 이런 일들을 거치면서 가장 먼저 변한 것은 나였다.
그렇게도 기도를 하찮게 여기던 내가 기도의 사람이 되었다는 것이다.
말씀 묵상은 좋아해도 기도는 늘 뒷전으로 미루던 나란 사람을,
새벽기도회가 하기 싫어서 교회 개척을 서둘렀던 나란 사람을,

최 선생님의 삶이 기도의 사람으로 만들어 놓았다.

스페어타이어로 밀쳐 두었던 기도를 운전대로 삼도록 만들었다.

최 선생님은 기도를 율법적으로 하지 않았다.

다만 기도하는 삶을 살았다.

움직이는 것도 소화시키는 것도,

심지어 보지도 못하고 말도 못하는 상황에서도 기도했다.

죽는 순간까지 죄를 고백했다.

어떻게 가르치는 것이 기독교 교육인지,

수억 원을 들여 기독교 교과서를 만들어야 하는지,

이런 모든 혼란을 최형석 선생님은 단번에 끝냈다.

기도하면서 기도하는 삶을 살도록 가르치는 것,

그것이 기독교 교육의 뿌리라는 것을 그는 몸소 알려 주었던 것이다.

그는 마지막에 가장 큰 일, 가장 많은 일을 했다.

그래서 나는 기도한다.

예수님 제게도 기도를 가르쳐 주세요.

진리대로 진리를 가르치려는 사람이 되고자 한다면

기도하는 부모가, 교사가 되지 않고는 불가능합니다.

기도의 영을 부어 주신 하나님, 기도할 수 있도록 만들어 주신 하나님,

코너로 몰아가신 하나님,

저도 최 선생님처럼 기도하는 사람이 되기를 원합니다.

기도할 수 있게 해 주시고, 불러 주셔서 감사합니다.

하나님이 맡겨 주신 영과 육의 자녀들을 위해

이름 하나 하나 불러 가며 기도하는 사람이 되겠습니다.

진리를 통합하고 이 진리를 전해 주는 통로로

가장 필요한 기도의 영을 받게 하시니 감사합니다.

자녀들에게 진리와 많은 정보를 주려고 하지만,

기도로 아이들에게 받아들여지지 않으면

오히려 흐르는 물처럼 흘려보낼 수도 있습니다.

기도의 마음으로 진리를 전하는 자가 되게 하옵소서.

그냥 기도하게 해 주시고 그냥 무릎 꿇게 해 주십시오.

그동안 기도를 의무적으로 생각했습니다.

기도의 축복과 기도의 깊이를 되찾게 해 주십시오.

우리 교회 안에 기도의 영이 살아나게 해 주십시오.

무릎을 꿇고 생활하게 해 주십시오.

기도하기 위해 모이고 흩어지게 해 주십시오.

기도의 용사들이 되게 해 주십시오.

우리 학교에 기도의 후원자들이 필요합니다.

기도하는 동지들을 보내 주소서. 기도할 때 성령의 능력으로

우리 가정이, 우리 교회가, 우리 교실이 변하게 될 줄 믿습니다.

기도할 때 기적을 베풀어 주소서. 기도의 무릎으로 더 살게 해 주시옵소서.

예수님의 이름으로 기도 드렸습니다. 아멘.

그 뒤로 우리 학교의 목표는 '기도하는 학교'가 되었다.
최 선생님의 기일인 9월 2일을 우리는 매년 기도의 날로 정했다.
이 날은 수업 없이 기도만 하는 날이다.

"중앙기독초등학교에서 기독교 교육을 시킨다는 것을
우리가 어떻게 확인할 수 있겠습니까?"
누군가 물어보면 나는 이렇게 말할 것이다.
"우리 학교 아이들은 기도가 최후 반응이 아니라 최우선의 반응이죠.
살면서 문제를 만나면 이 아이들은 하나님 앞에 바로 무릎을 꿇습니다.
그런 아이들을 만드는 것이 우리 학교의 목표입니다."
기도가 수단이 아닌 목적이 되도록, 삶에서 기도가 중심이 되도록,
기도하는 사람이 되도록, 교육하는 것이 기독교 교육이다.

화분 기도
바통기도

기도는 율법이 아니다.

기도는 생활의 흐름이 되고 체험이 되어야 한다.

나는 아이들이 서로의 삶의 문제를 하나님께 맡길 수 있도록,

선생님들과 몇 가지 기도를 만들었다.

하나는 '화분 기도'다.

선생님들끼리 돌아가면서 화분을 일주일씩 기른다.

그동안 화분에 물을 주면서 기도를 수첩에 적는다.

그리고 일주일이 지나면,

다음 순번 선생님에게 화분과 기도 수첩을 넘겨 준다.

화분 기도는

생명을 양육하는 기쁨과 기도 제목을 나누고,

서로가 사랑과 중보의 끈으로 매여 있음을 확인하며,

교육이 하나님의 것임을 인정하는 기도의 통로이다.

월요일 저녁 현성이 어머님으로부터 전화를 받았습니다.

현성이는 공립에서 왕따를 당해가지고 후 우리학교로 온 아동입니다.

현성이는 평소에도 대현이가 괴롭혀서 힘들다는 말을 종종했지요.

그날 걸려온 전화 내용도 같은 종류의 전화였습니다.

대현이가 현성이를 인터넷상에서 대놓고 인신공격을 했다고 합니다.

그동안 좋지 않았던 감정이 폭발하신 듯 보였습니다.

어머님이 전화로 우시는데 참 마음이 아프고 답답했습니다.

대현이는 말투와 태도 때문에 지난주에도 교장선생님과 상담을 했습니다.

어머님이 병원 진료와 청소년 센터 상담을 다녀오시기도 했습니다.

부모님과 교사의 노력으로 대현이는 많이 자중하고 수그러든 듯했는데…

또다시 대현이로 인해 마음 아파하는 사람이 생겼습니다.

교육이 정말 하나님의 것이라는 생각이 듭니다.

주님, 저는 할 수 없습니다. 대현이의 상처를 치유할 수 없고

습관과 태도를 변화시킬 수 없습니다. 주님을 신뢰합니다. 의지합니다.

주님께서 현성이와 그 가족들의 상처를 치유하시고 위로하시며,

대현이의 말투와 습관이 변화되어 다른 사람을 배려하는 마음을 가지며

덕스러운 말과 행동과 마음으로 변화될 수 있기를 기도합니다.

주님이 저희 반을 주관하시고 교실의 공간과 저희들의 마음을 지배하셔서

주님이 원하시는 섬김과 은혜가 가득한 곳 되게 하소서.

우리의 화분, 춘심이를 위해 창밖에 비가 내리고

춘심이를 위한 젖은 흙이 마르지 않는 것처럼,

주님의 은혜가 오늘도 우리의 환경과 주위를 가득 채우소서.

주님의 은혜 속에 젖어 늘 생기 있는 그리스도인이 되길 원합니다.

햇살이 필요할 땐 햇살로, 수분이 필요할 땐 단비로 채우시듯,

성령과 말씀으로 우리를 강건케 하시고 감동 넘치는 매일을 살게 하소서.

한 그루의 나무가 성장하기까지 수많은 햇빛과 물이 필요하듯이

세상에서 당당한 그리스도인으로 서기까지 주님의 가르침이 필요합니다.

주님의 햇빛과 물이 6학년 아이들 모두에게 흘러넘치게 하소서.

-6학년 선생님들의 화분기도 중에서

또 다른 하나는 '마라톤 기도'다.

마라톤 기도는 기도 바통을 받은 사람은

가족과 함께 바통에 있는 기도 제목을 놓고 함께 기도한다.

그리고 일주일이 지나면

자신의 기도 제목을 써서 다음번 타자에게 넘겨 준다.

바통은 상징일 뿐이지만,

아이들은 이 기도 바통을 맡으면

계주를 할 때 바통이 오면 최선을 다해 뛰듯이

참 열심히 기도한다.

기도하는 아이들

그 무렵, 늘 기운 없어하던
5학년 지연이는 결석하는 날이 늘더니
결국 급성 림프성 백혈병이라는
진단을 받았다.

발병 3개월이면 사망에 이른다는 데 이 무서운 병이 언제 걸렸는지….

다행히 지연이는 병이 빨리 발견되어 치료하면 된다고 했다.
불과 며칠 전만해도 우리 학교 은사계발팀 중의 하나인
'선한 하나님의 아름다운 사람들'에서 말기 암환자를 위해
봉사를 하던 지연이가, 무균실에 입원하게 됐다.
눈물만 흘리는 엄마를 보고, 지연이는 이렇게 말했다고 한다.
"엄마, 나는 걱정 안해요. 하나님이 고쳐 주실 건데…."

지연이 소식이 퍼져 나갔을 때
아이들은 스스로 기도 모임을 만들어 기도하기 시작했다!
아이들은 어느새 기도를 배웠던 것이다!

학교에서는 하잠멈 기도를 다시 시작했다.
학부모 중보기도팀도 월요일마다 기도회를 열었다.

"우리 기도가 응답되었어! 지연이가 돌아왔대!"

거짓말처럼, 기적처럼 지연이는 다시 교실로 돌아왔던 것이다!

아이들의 환호성이 교실을 울렸다.

하지만 졸업여행을 일주일 앞두고 지연이의 병은 재발했다.

화상이라도 입은 것처럼 몸 안의 모든 장기가 허물이 벗겨지는

항암 치료의 부작용도 잘 이겨냈는데,

이제 다른 아이들과 똑같이 생활해도 된다는 말을 들은 지

불과 2주 만에 병이 재발한 것이다.

처음과는 비교할 수 없이 지연이도, 가족들도, 우리들도 낙심했다.

"왜 내가 재발됐어? 엄마 나 좀 집에 데려가 줘! 나 안할 거야!"

믿음으로 병과 잘 싸워 왔던 아이이기에 더욱 마음이 아팠다.

최 선생님의 1주기인 2005년 9월 2일 기도의 날,

우리는 지연이를 위해 기도했다.

그동안 독한 약을 많이 쓴 탓인지 지연이에게서 췌장암이 발견됐다.

이제는 항암약으로는 치료할 수 없고, 이식밖에는 길이 없었다.

지연이 가족들은 혈소판 기증자와 헌혈자를 찾느라 정신이 없었다.

엄마조차 하루 30분밖에 면회가 안 되는 이식실에서

지연이는 한 달 동안 혼자서 이식 수술을 기다려야 했다.
지연이가 혼자 있는 이식실 벽에는 성경 읽기 스티커와
예수님 사진이 붙어 있었다. 그리고 찬양이 흘러 넘쳤다.

이식받는 것만해도 기적이라할 만큼 상황이 좋지 않은 가운데
이식을 받고 힘든 회복의 과정을 거쳤는데,
지연이의 몸이 회복되면서 또다시 암세포가 올라왔다.
의사 선생님은 이제 방법이 없다고, 며칠 남지 않았다고 했다.

그 소식을 듣고도 지연이는 천사처럼 웃으며 말했다.
"엄마, 내 마음에 기쁨이 넘쳐요. 하나님께 감사해요."
그러고는 기쁨에 넘쳐 찬양을 부르기 시작했다.
엄마가 오히려 말렸다고 했다.
"지연아, 좀 작게 불러. 다른 환자들도 있으니까."

지연이가 마지막에 그린 그림

진통제 없이는 한순간도 견딜 수 없는 고통,
손이 떨려 글씨를 쓸 수 없는 상황에서도
지연이는 날마다 큐티를 했다.
"엄마, 예수님이 좁은 길로 가라고 하셨어.

그 길이 힘들고 어려운 길이지만 그 길이 바로 하늘나라 가는 길이야!
우리는 좁은 길로 가기만 하면 되는 거야!"
"부활 주일이 며칠 남았지? 주님이 부활하시면 내 고통도 끝나는데."
"엄마, 우리 동생들은 나처럼 아프면 안 되는데."

2006년 4월 고난 주간, 나는 지연이에게 침례를 주면서 물었다.
"지연아, 천국의 소망을 믿니?"
"네."
지연이는 너무 당연하게 대답했다.
그리고 4월 17일 지연이는 웃으면서 하늘나라에 갔다.
마치 하늘나라에 도착해서 너무 좋다고 우리들에게 말해 주는 것처럼.
우리는 지연이의 천국 중학교 입학식을 치렀다.

지금은 지연이를 향한 하나님의 계획을 잘 모른다.
하지만 분명한 것이 있다면, 우리의 마음은 아프지만
최형석 선생님이나 지연이의 죽음을 통해서
하나님은 하실 일이 있으시고, 그것은 분명 선한 계획이라는 것이다.
새로운 학교 건물에 우리는 지연이 기도실을 만들 예정이다.
지연이와 최 선생님처럼 다른 사람을 중보하기 위해서.

기도하면 하나님을 경험한다

"목사님, 드디어 준공 허가를
받았어요!"
최운용 국장님이 한껏 들떠서
달려왔다.
여간해선 큰소리를 내지 않는
분이었다.

학교가 1995년에 완공됐으니,
거의 10년 만에 준공 허가를 받은 것이다!
그동안 우리 발목을 잡았던 문제들이 주마등처럼 스쳤다.

눈물을 시멘트 삼고 기도를 벽돌 삼아 하나님의 집을 짓는 마음으로
정성스레 한층 한층 지어나갔다.
그렇게 2년 남짓 공사를 거의 마치고 개교를 눈앞에 뒀는데
준공 허가가 떨어지지 않는 것이었다.
준공 허가를 받으려면 학교 부지를 모두 매입해야 하는데
학교 부지 가운데 몇 필지가 개인 사유지로 남아 있었기 때문이다.
그 당시 학교엔 그 땅을 한꺼번에 구입할 만한 돈이 없었다.

급한 대로 우선 임시 사용 허가서를 받았다.

개교 이후 학교는 순조롭게 운영되었다.

하지만 준공 허가를 위해서는 어떻게든 돈을 마련해야 했다.

나머지 땅을 사들여야 했다.

이사회에서 돈을 모으고 교회에서 헌금을 했다.

늦게나마 한 필지, 두 필지 땅을 사들였다.

땅 주인들 대부분은 순순히 우리 제안을 받아들였다.

하지만 땅값이 오르길 기다리며 끝까지 팔지 않는 분이 있었다.

원래 학교 부지로 정해지면 강제 수용을 할 수 있었다.

하지만 기독교 교육을 하겠다는 학교가 인정사정없이 굴 수는 없었다.

땅 주인은 차일피일 미루며 협상에 응하지 않았다.

우리는 땅 주인이 원하는 만큼의 가격을 맞춰 주기가 어려웠다.

돈이 없었기 때문이다.

땅 문제가 해결이 안 나도 학교를 운영하는 데는 문제가 없었지만,

임시 사용 허가를 연장 신청할 때마다 부실한 학교 취급을 받는 것도,

준공 허가를 독촉받는 일도 힘들었다.

어쨌든 마무리를 지어야 했다.

법인 사무실 최운용 국장님은
서울 강동구 끝에 있는 땅 주인 집에 무작정 찾아갔다.
아이들이 수확한 채소들을 가득 싣고 찾아가기도 했다.
추수감사절에는 어머니가 구운 파이를 가지고 가서 사정도 해 보았다.
하지만 땅 주인은 조금도 상대해 주지 않았다.
선생님들이 먼저 하나님께 매달렸다.
부활절 전과 추수감사절 전 40일 특별새벽기도를 작정했다.

우리 교회에는 새벽기도가 없었던 탓에
선생님들은 수원중앙침례교회까지 가서 새벽기도를 드렸다.
선생님들을 태우기 위해 최운용 국장님이 자청했다.
자신의 승합차로 수원 시내를 한 바퀴 돌았다.

그 즈음 학교에서는 현관 앞에 생수통을 놓고 모금하기 시작했다.
학교 문제를 함께 고민하자는 뜻으로 상징적으로 마련한 것인데,
의외로 아이들의 호응은 대단했다.
우루루 몰려 들어 생수통의 눈금을 재느라고 정신이 없었다.
생수통을 보러 학교에 일부러 학교에 오신 학부형도 있었다.
생수통 모금 덕분에 아이가 모범생으로 변했다는 것이다.

심부름도 하고, 안마도 해 주고, 숙제도 꼬박꼬박하면서
용돈을 차곡차곡 모으더란 것이다.
"그래서 왜 돈을 모으냐고 했더니,
'우리 학교 때문에 그렇지.' 하지 뭡니까!"
그러곤 생수통에 수표 한 장을 집어 넣으셨다.

아이들만 모범생으로 변한 게 아니다.

남자 선생님들이 두툼한 잠바를 껴입고 무리를 지어 몰려가기에

나는 인사하며 외쳤다.

"모두들 어디 가세요? 꼭 군고구마 장수같이 차려 입고."

한 선생님이 장난기 어린 표정으로 나를 흘끔 쳐다보았다.

"역시 목사님 영성이 대단하셔!"

다음날 아침이었다.

아이들이 어제 저녁

선생님이 파는 군고구마를 사먹었다며 자랑스럽게 말하는 게 아닌가.

선생님들이 겸연쩍은 듯 웃고 있었다.

'이 학교는 정말 하나님의 학교구나.'

가슴이 뻐근했다.

그랬음에도 땅 주인이 요구하는 금액에는 미치지 못했다.

땅 주인을 찾아갔던 최 국장님은 어깨가 축 처져서 돌아왔다.

"우리가 돈 모은 이야기를 하니까 거짓말이라고 몰아붙이는 겁니다.

아이들 돈까지 끌어들이는 나쁜 학교라나요?"

최 국장님은 그날 비가 쏟아지는 한남대교를 지나 차를 세우고
하나님을 부르며 펑펑 울었다고 했다.
그후 몇 달은 아무도 그 얘기를 나누지 않았다.
사실 그 누구라도 그 땅 주인을 찾아갈 엄두가 나지 않았을 것이다.

그러던 중 지역 신문에 준공도 나지 않은 학교를 운영한다며
우리 학교에 대해 비난하는 기사가 실렸다. 아버지가 나를 부르셨다.
"왜 우리가 불법이라는 말을 듣게 만드는 거냐?
이유야 어찌 됐든 빨리 해결하거라!"

아버지로부터 호된 질책을 듣고 나는 다시 한 번 힘을 냈다.
아이들까지 합세해서 하나님께 매달렸다. 기도했다.

이번엔 땅 주인의 아들과 협상하기로 했다.
땅 주인보다는 조금 호의적이었기 때문이다.
그리고 드디어, 땅을 살 수 있었다.
당시 시세의 2배나 되는 가격이었지만 정말 잘된 일이었다.
그 얌전하던 최 국장님이 다윗처럼 기뻐 뛰었다.
10년 묵은 체증이 내려가는 것 같다는 말은 이럴 때 쓰는 말이다!

하나님을
경험하는
아이들

우리 학교가 좋은 소문이 나면서
학부모들의 방문이 끊이질 않았다.
장애 학생의 경우에는 더 그랬다.
어떤 학부모들은 무작정 학교 근처로
이사를 오기도 했다.

하루는 학부형 한 분이 사무실에 찾아오셨다.
"샘물교회 교인인데요, 제 아이를 이 학교에 입학시키고 싶어요.
어떻게 하면 되나요? 교회를 옮기면 받아 주신다던데, 맞나요?"
"그럼, 교회를 옮기시게요?"
"입학할 수만 있다면 그렇게라도 해야죠 뭐."
나는 그분을 잘 설득해서 돌려보냈다.
그리고 그 길로 샘물교회 박은조 목사님을 찾아갔다.

박은조 목사님은 기독교 학교에 대한 비전을 가지고 계신 분이었다.
《하나님이 기뻐하시는 학교》라는 제목의 책까지 펴내셨다.
목사님을 만나 왜 초등 교육이 중요한지에 대해 열변을 토했다.
한참을 진지하게 들으시더니 박 목사님은
그 자리에서 초등학교 세우는 일을 흔쾌히 응하셨다.

그 대신 한 가지 조건을 내거셨다.

교회에서는 이미 다 중·고등학교를 세우기로 결정했는데

갑자기 초등학교로 바뀌었으니 당회를 설득해 달라는 부탁이셨다.

초등학교를 세우겠다는데 그 정도쯤이야.

그래서 특별강연 3회를 하기로 약속하고 돌아왔다.

돌아오는 길이 얼마나 신났는지 모른다.

정원이 찼다는 소리에 한숨을 내쉬는 장애 학생의 부모님을 보면서

우리 학교를 졸업한 아이들이 주님 안에서 잘 자라나는 모습을 보면서

하나님의 학교가 이 땅 곳곳에 더 많이 세워지길 소망했다.

우리 학교는 기독교 학교로서 세상을 향해 홀로 싸워야 할 일이 많았다.

그럴 때마다 동생을 낳아 주길 손꼽아 기다리는 아이처럼

기독 초등학교의 설립을 애타게 기다렸던 것이다.

그 즈음 우리 학교는 학교 증축을 결정하고, 건축 모금을 시작했다.

4~5개월 동안 모은 돈이 자그마치 5천만 원이나 되었다.

우리로선 굉장히 큰 돈이었다.

10여 년 전 학교가 처음 생길 때 십일조에 대한 은혜를 누렸기에

이 돈에 대해서도 십일조를 어떻게 할까부터 생각했다.
선생님들과 상의한 끝에 최종적으로 내린 결론이
다른 기독교 학교 세우는 데 헌금하자는 것이었다.
그때가 모두 샘물교회를 떠올렸음은 두말할 것도 없었다.

우리 학교 찬양 팀과 함께 샘물교회에서 집회를 열었다.
나는 집회 기간 동안 우리 학교를 인도하신 하나님의 손길을 간증했다.
마지막 순서는 특별했다. 교장 선생님이 짧은 글을 낭독했다.

> 얼마 전 우리 아이들이 학교 건축을 위해
> 고사리 같은 손으로 작은 정성을 모았습니다.
> 어떻게 보면 적은 돈이지만 우리에겐 커다란 의미가 있는 돈입니다.
> 이 돈의 십일조를 샘물교회가 새로 세울 학교 건축을 위해 헌금하고 싶습니다.
> 하나님의 뜻을 바로 세우는 기독교 학교가
> 이 땅 곳곳에 세워지는 것이 저희들의 바람입니다.
> 이 십일조가 씨앗이 되기를 원합니다.

교인들은 술렁거렸다. 손등으로 눈물을 훔치는 사람도 있었다.
말하지 않아도 그들이 받은 감동이 전해졌다.

그 일이 있은 지 한 달 뒤, 미국에서 편지가 한 통 날아왔다.

이름도 없고 서신도 없이 뉴욕 소인만 덩그러니 찍힌 편지였다.

봉투를 열어 보니 5만 달러짜리 수표가 들어 있었다!

우리가 십일조 했던 5백만 원의 정확한 열 배의 금액이었다!

한참 뒤에야 이메일이 한 통 왔다.

저는 뉴욕에 살고 있는 한국인입니다.

얼마 전 잠시 한국에 방문했을 때 샘물교회에서 예배드리다가

목사님과 중앙기독초등학교 학생들을 만났습니다.

그때 아이들이 모은 돈을 학교 세우는 데 써 달라고

500만 원을 십일조 하는 것을 보았습니다. 코끝이 찡해졌습니다.

그리고 며칠 뒤 미국으로 돌아갔는데 하나님이 계속 제게 말씀하셨습니다.

'네가 그 학교 짓는 데 열 배를 채워라. 오만 달러를 채워라!'

하나님의 귀한 사역을 기뻐하시는 목사님과

그 학교에 조금이나마 보탬이 된다면 행복할 것 같습니다.

다른 사람에게 알리지 마시고 필요한 곳에 써 주십시오.

나는 건축 십일조를 통해 하나님의 임재를 느꼈다.

더불어 나눠 주면 줄수록 하나님이 채워 주신다는 것. 그것은 진리다.

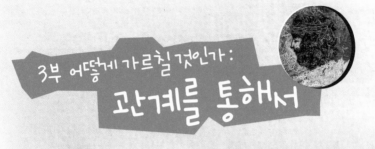

3부 어떻게 가르칠 것인가 :
관계를 통해서

히브리 말로 '야다' 는 '안다' 라는 말이다. 이 '야다' 라는 말은 정보를 아는 것과는 다른 차원의 뜻을 품고 있다. 아담이 하와를 어떻게 알았기에 잉태까지 되었을까, 야다는 성적인 관계에까지 이르는 앎이다. 아담은 하와와 관계하기 전에 하나님께 감사와 기쁨을 표현했고, 하나님의 창조물을 인정했고, 동물들의 이름을 지어 주었다. 서로 경험적으로 알았다. 서로 관계가 있었다.

내게 김장환 목사님에 관해 아는 것은 중요하지 않다. 침례교세계연맹의 총회장이었고, 극동방송 사장이라는 것은 하나도 중요하지 않다. 그가 나를 어떻게 보느냐가 중요하다. 정보가 아니라 체험적 앎이 중요하다. 그는 내 아버지이기 때문이다.

체험적인 앎을 알기 위해서는 진리와 정보를 구분해야 한다. 기독교 교육에서 가장 중요한 것은 진리를 가르쳐 주는 것이다. 그런데 진리란 무엇인가. 빌라도 시대부터 진리와 정보에 관해 혼돈이 있었다. 빌라도가 가로되 그러면 네가 왕이 아니냐 예수께서 대답하시되 네 말과 같이 내가 왕이니라 내가 이를 위하여 났으며 이를 위하여 세상에 왔나니 곧 진리에 대하여 증거하려 함이로라 무릇 진리에 속한 자는 내 소리를 듣느니라 하신대 빌라도가 가로되 진리가 무엇이냐(What is truth?) 하더라. 이 말을 하고 다시 유대인들에게 나가서 이르되 나는 그에게서 아무 죄도 찾지 못하노라(요한복음 18:37-38) 빌라도의 잘못은 진리를 정보로 착각한 것이다. 진리는 무엇(what)이 아니라 누구냐(who)이다. 하나님이 진리다.

성경 말씀은 '하나님은 진리'라는 것을 우리가 체험할 수 있도록 인도해 준다. 말씀은 가장 강력한 하나님의 나타나심이다. 그런데 성경은 책으로 되어 있다. 활자는 정보처럼 보인다. 그래서 우리는 가끔 말씀을 데이터로 취급할 때가 있다. 빌라도와 마찬가지로 우리는 진리를 정보로 알거나, 또는 정보를 진리로 알고 있다.

하지만 하나님은 이 말씀이 살아나기를 원하신다. 피조물로 하여금 하나님을 깨닫게 하기 위해서 하나님은 말씀이 활자가 아니라 살아 있는 호흡과 생명과 감정으로 느껴지도록 선지자들에게 말씀을 주셨다. 진리가 존재라면 우리가 진리를 배우고 가르치기 위한, 즉 그 진리를 전달하는 방법을 생각해 보지 않을 수 없다. 나는 그것이 바로 관계를 통한 전달이라고 생각한다. 관계 속에서 함께 진리를 추구해 나가는 것, 이것이 교회의 모습이다. 예수님의 몸은 교회다. 우리 자신이다. 이 공동체 안에서 예수님이라는 진리를 체험할 수 있는 것이다.

관계 중심의 협동 학습은 진리는 아니지만, 진리를 담는 그릇임은 분명하다.

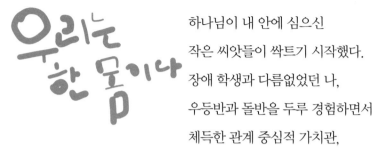

하나님이 내 안에 심으신
작은 씨앗들이 싹트기 시작했다.
장애 학생과 다름없었던 나,
우등반과 돌반을 두루 경험하면서
체득한 관계 중심적 가치관,
이런 것들이 나의 교육관을 만들어 갔다.
그것은 장애 학생과 일반 학생의 통합 교육으로 나타났다.

우리나라는 여러 가지 이유로 일반 학생을 분리시켜 교육을 한다.
어린 시절을 더듬어 보라. 일반 초등학교에 장애 학생이 있었는지를.
아마 없을 것이다.

장애 학생과 일반 학생의 통합 교육은 쉬운 일이 아니다.
시설 면에서도 그렇고 인력 활용 면에서도 그렇다.
하지만 우리 학교는 경제적인 합리성을 포기하기로 했다.
우리 많은 사람이 그리스도 안에서 한몸이 되어 서로 지체가 되었느니라 (로마서 12:5)
장애가 있든 없든 하나님이 계획하신 생명이다.
우리는 한 지체로서 그 아동을 돌볼 책임이 있는 것이다.
우리는 한 반에 장애 학생을 두 명씩 통합하기로 했다.

반마다 담임 선생님 한 분과 특수 교사 한 분을 함께 세웠다.
특수 교사란 명칭도 없앴다.
대신 통합 교육 지원실 선생님이란 호칭으로 부른다.

장애 학생을 뽑을 때 다른 입학의 조건들을 꼼꼼히 살펴볼 뿐
장애의 정도는 아예 살피지 않는다.
그래서 입학 시즌이 되면 통합 지원실 선생님과 담임 선생님은
올해 입학하는 장애 학생들의 장애의 정도가 어떠한지
그 아이가 뭘 좋아하고 싫어하는지를
부모님께 꼼꼼히 챙겨 듣고 아이에 맞는 커리큘럼을 짠다.

처음 통합 수업을 할 때 지원실 선생님들이
새로운 반 아이들과 반드시 함께하는 놀이가 있다.
바로 난파선 놀이다.

배가 파선했다.
배가 다 가라앉기까지는 10분밖에는 남지 않았다.
어떻게 하면 가장 많은 생명을 구할 수 있을까?
친구들을 두 팀으로 나눈다.

각 팀에는 시각 장애인과 신체 장애인이 한 명씩 있다.
배 안과 밖을 구분하기 위해서 고무줄을 높이 든다.
배 밖으로 나가는 사람은 이 고무줄을 건드리면 안 된다.

놀이를 시작하면 아이들은 분주해진다.
과연 누구를 먼저 구출하는 게 좋을까?
어떻게 해야 짧은 시간 동안 가장 많은 생명을 구할 수 있을까?
진지하게 고민한다.

제일 먼저 건장한 아이가 혼자 힘으로 배 밖으로 나간다.
그리고 배 안에 있던 아이들이 힘을 합한다.
먼저 시각 장애인을, 그 다음은 신체 장애인을 구출해 낸다.
그러고는 한두 명이 구출되다가는 시간이 종료되고 만다.
그 모습을 지켜보는 선생님들 모두 침이 꿀꺽 넘어간다.

그 누구도 이 게임의 정답을 가르쳐 주지 않는다.
하지만 아이들은 누구를 제일 먼저 구해야 할지 알고 있다.
"여러분 잘했어요.
우리는 지금 한 배를 탔고, 앞으로 함께 살아갈 거예요.

그런데 힘든 일이 생기면
우리는 약한 사람들을 먼저 도와야 해요.
하지만 그것은 돕는 게 아니라, 함께 살아가는 것일 뿐이에요."

가끔 복도를 지나갈 때 눈시울이 붉어지곤 한다.
장애 학생이 화장실을 가려고 휠체어를 밀고 가면
뒤따라가던 아이가 화장실 문을 열어 준다.

자폐 성향이 있는 학생이 혼자 서 있으면
일반 학생이 슬그머니 다가가 손을 잡고 함께 걷는다.

'나는 저 나이 때 저렇게 성숙하지 못했는데…'

흔히들 일반 학생이 장애 학생을 도와준다고 생각한다.
천만의 말씀이다.
오히려 장애 학생이 일반 학생의 성숙을 돕고 있다.

장애 학생은 어떤 훈계도 없이 그 존재 자체로 아이들을 돕는다.
일반 학생들의 자존을 꺾고, 고집스러움을 꺾는다.

언제나 자신이 아기처럼 되고자 하는 유치함을 버리게 한다.

그 대신 학생들이 얻는 것이 있다.
하나님이 주신 생명을 소중히 여기고 사랑하는 마음이다.
이것은 책 몇 백 권이 가르쳐 줄 수 있는 것이 아니다.
함께 살아가는 공동체의 사랑을 통해 배울 수 있는 것이다.

그래서 나는 통합 교육을 포기할 수 없다.
지금보다 몇 배의 경제적 손실을 본다 하더라도 말이다.
나는 아이들에게 늘 말한다.

"애들아 너희들은 장애 학생을 도와주는 게 아니야.
장애 학생은 도움을 받는 것이 아니야.
너희들은 그냥 함께 살아가는 거야."

하나님은 나만 부르신 게 아니라 우리 모두를 부르셨다.
우리의 몸은 그리스도의 몸이요 지체의 각 부분이다.
생명은 하나님이 허락하신 것이다.
공동체를 하나로 묶는 것은 사랑의 끈이다.

특별한 거울

준원이는 특별했다.
여느 자폐성 장애 학생과 달리 얌전했기
때문이다.
어디로 튈지 모르는 공처럼 돌출 행동도
하지 않았다.
학습 능력이 좀 뒤처지는 것만 빼면 나무랄 데가 없는 아이였다.

어느 날 몇몇 어머님이 아이들의 수업 모습을 보러 오셨다.
한 아이가 엄마를 발견하고는 눈짓을 하고
손을 흔들며 반가워했다.
다른 아이들도 엄마를 찾느라 한바탕 소동이 벌어졌다.
그 와중에도 선생님만 쳐다보는 아이가 있었다.
마치 누군가 "얼음!" 하고 외친 것처럼 조금도 움직이지 않았다.
준원이었다.

그 모습을 보고 우리들은 적잖이 충격을 받았다.
어머니들 가운데 준원이 어머니도 계셨기 때문이었다.
자폐아 중에는 종종 놀라운 집중력을 보이는 아이들이 있으니까,
우리는 준원이가 집중력이 좋은 편이라고만 생각했는데….

"오늘 준원이 보셨죠?
어머니가 오셨는데도 선생님만 쳐다보고 있는 거…."
"아마, 약을 먹어서 그럴 거예요."
어머니는 울먹이시며 속내를 털어놓으셨다.

"사실 준원이는 조울증이 있었어요.
기분이 좋으면 이리저리 개구리처럼 뛰다가도
슬프거나 화가 나면 손에 잡히는 물건은 무엇이든 닥치는 대로
아무데나 집어던져 버리는 고약한 버릇을 갖고 있어요.
그런 준원이가 학교를 가야 하니까 약물 치료를 선택한 거예요
그 덕분에 집안도 조용해졌어요.
하지만 저런 모습으로 학교 생활을 할 줄은…."

며칠 뒤, 준원이 부모님은 약물을 끊겠다고 결정하셨다.
"준원이가 약물 없이도 학교생활을 잘할 수 있도록 도와주세요.
저희 가족은 하나님만 믿고 준원이의 약물 치료를 끊으려고 해요."
우리 모두 이 결정에 박수를 보냈다.
선생님들이 적극 도와주기로 했다.

준원이는 180도 달라졌다.

수업시간에 책상을 두드리고,

갑자기 소리 지르며 교실 안을 뛰어다녔다.

벽에 온통 사인펜칠을 하거나,

바닥에 침을 뱉고 문지르기를 반복했다.

10분도 가만히 앉아 있지를 못했다.

옆에서 누군가가 조금만 뭐라고 하면 바지에 오줌을 쌌다.

그동안 준원이가 약물 때문에 눌려 있었다고,

생각하니 더 가슴이 아팠다.

준원이 말리랴, 기저귀 갈아 주랴 수업이 진행될 리 없었다.

준원이 어머니는 학교에 오셔서 눈물을 흘리셨다.

"어쩌면 좋아요, 선생님. 죄송해요. 준원이 때문에….”

준원이 주위의 모든 사람이 준원이를 돕기로 했다.

준원이 동생도, 누나도, 아버지도 새벽기도를 시작했다.

선생님은 반 친구들에게도 상황을 설명하며 도움을 구했다.

"너희도 주사 맞으면 소리 지르며 울지?

준원이도 지금 하나님께 치료받고 있는 중이야.

그래서 아파서 그러는 거야.

하나님이 너희들을 통해서 준원이를 변하게 해 주실 거야."

놀랍게도 아이들은 이미 이해하고 있었다. 그것도 아주 많이 많이….

그때부터 선생님들과 아이들은 공동작전에 들어갔다.

준원이가 선생님 말을 듣지 않으면

친구들이 모두 함께 말해 주기로 했다.

"준원아, 자리에 앉아!!" "준원아, 이리와 봐!!"

아이들의 소리는 어느 유명 소년소녀 합창단 노래보다 고왔다.

준원이는 신기하게도 친구들의 합창 소리에는 곧잘 말을 들었다.

물론 10분도 채 지나지 않아 야생마처럼 펄쩍거렸지만.

일주일이 지나니까,

이번에는 무작정 교실을 벗어나려고만 들었다.

억지로 교실에 앉혀 놓으면 하루에도 네다섯 번씩 오줌을 쌌다.

의사 선생님은 그동안의 스트레스가 표출된 것이라고 했다.

반 친구들은 준원이가 오줌 싼 것을 부끄러워할까 봐

못 본 척하거나 조용히 처리할 수 있도록 도와주었다.

가만 지켜보니, 준원이의 문제 행동에는 뭔가 특징이 있었다.

준원이는 뭔가를 집어던지고 꼭 주위를 둘러봤다.

사람들이 자기를 보나 안 보나 살펴보는 것 같았다.

드디어 실마리를 찾았다.

준원이는 사람들의 관심을 끌고 싶었던 것이다.

"앞으로 준원이가 어떤 행동을 하든지

일체 관심을 보여서는 안 돼요!"

지원실 선생님이 우리들 모두에게 단단히 일렀다.

그 뒤로는 준원이가 난리를 쳐도 다들 본체만체했다.

또 싫고 좋음이 분명한 준원이에게 모든 선택권을 주었다.

"교실로 갈까?"

"싫어요."

"그럼 지원실에서 공부하다가 갈까?"

"공부하다가 가요."

이런 게 하나님의 방식이 아닐까.

모든 걸 아시지만, 우리를 존중하시며 인도하시는 하나님처럼

준원이뿐 아니라 다른 아이들에게도 이렇게 대해야 하지 않을까.

준원이 어머니는 선생님께 죄송하다며 고개를 들지 못하셨다.

하지만 선생님들은 밝게 웃으며 오히려 어머니를 위로했다.

"아니에요. 네 번에서 두 번으로 줄었는걸요. 점점 좋아지고 있어요."

준원이 어머니는 끝내 참았던 눈물을 터뜨리고야 말았다.

"준원이가 일주일 내내 오줌 안 싸면 떡 잔치할 거예요."

어머니는 눈물을 글썽이며 말씀하셨다.

그로부터 일주일 뒤,

준원이는 벌떡 일어나 어눌한 목소리로 외쳤다

"화장실!"

선생님과 친구들은 너무나 기쁘고 당황해서 소리를 지를 뻔했다.

그때 이후로 준원이는 하루에 열두 번도 더 화장실에 갔지만,

교실에서만큼은 실수하지 않았다.

준원이 어머니는 정말로 떡 잔치를 베푸셨다.

모두의 마음에 따뜻한 하나님의 사랑이 전해졌다.

이 일로 인해 실은 준원이보다 우리가 더 많이 변했다.

우리들은 준원이가 기적적으로 변하길 바라기보다는

준원이의 모습 그대로를 받아들이며 존중하고 사랑하는 법을 배웠다.

정말 그랬다.

처음에는 우리가 준원이를 돕고 변화시키려 했는데,

오히려 준원이라는 거울을 통해 우리의 누추한 모습을 닦고 있었다.

장애아동은 이렇게 대해 주세요

수원 중앙기독초등학교 통합 교육 지원실 선생님이 들려주는 이야기

1. 그 아이만의 특별함을 보아 주세요.

하나님은 사람마다 다 다르게 지으셨다. 일반 학생들이 다 다른 것처럼 장애 학생
도 다 각기 다른 은사가 있고 특성이 있다. 그 아이만의 특별함을 보아야 한다.

2. 생활 연령으로 대해 주세요.

6학년이지만, 정신 연령은 서너 살에 이르는 장애 학생도 있다. 그래서 가끔 보면
일반 학생들이 장애 학생에게 유치원 동생을 대하듯 하고, 또 장애 학생은 친구한
테 존댓말 하는 것을 본다. 하지만 이건 정말 잘못이다. 정신 연령은 낮더라도 생
활 연령으로 대해 주어야 한다.

3. 참여시켜 주세요

물론 장애 학생이 일반 학생과 똑같이 모든 일에 다 참여하기는 힘들다. 하지만
장애 학생이 휠체어를 타고라도 달리기에 참여할 수 있도록 자꾸 기회를 주어야
한다.

서로를 키우는 아이들
함께 성장하는
공동체 교육,
협동 학습

"이 녀석들이 이 정도는 아닌데,
아주 엉망인데요!"
올 봄에 교생 선생님과 함께
쪽지 시험지 채점을 하던
최병준 선생님이 한숨을 내쉬었다.

그러고는 혼잣말처럼 말했다.

"협동 학습을 하지 않아서 그래요!"

교생 선생님은 협동 학습이라는 말에 고개를 갸우뚱한다.

그 다음 시간. 최 선생님은 협동 학습을 직접 보여 주었다.

"자, 여기 문제지 하나, 연필 하나
줄 테니까

한 명은 연필로 풀고 다른 한 명은 눈으로 풀어 봐."

한 아이가 다 풀면 그 다음에는 역할을 바꾸었다.
선생님은 수학 짝을 만들어 주고 자료를 모자라게 준다.
관심과 집중도를 높이는 협동 방법을 사용한 것이었다.

수업 후에 모두 엎드리게 한 다음 물었다.
"자기 짝이 이 단원을 잘 이해하지 못한다고 생각하는 사람?"
그렇게 해서 손을 든 아이는 짝을 데리고 나머지 공부를 한다.

그런 다음 다시 쪽지 시험을 봤다.
이번에도 역시 교생 선생님과 함께 채점을 했다.
최 선생님도, 교생 선생님도 그만 깜짝 놀라고 말았다.
지난번에 비해 성적이 월등히 좋아졌기 때문이다.
교생 선생님은 믿기지 않는다는 듯이 이렇게 말했다.
"어떻게 이렇게 갑자기 잘했지?
지난번엔 반 평균이 60, 70점 정도였는데, 80점이 넘네요?"

우리 학교는 개교 초기부터

케이건 박사의 협동 학습법을 시행해 오고 있다.
이제는 우리 학교 선생님들이 협동 학습법 세미나 강사로 뛸 만큼
우리 학교에는 협동 학습법이 뿌리를 내렸다고 볼 수 있다.

자발성과 적극성. 이것이 협동 학습이 갖는 최대 강점이다.
또한 다른 사람의 지적 능력을 자기 것으로 만들 수도 있다.
좀 어려운 말로 '동시 다발적인 지성의 극대화'를 이룬다.
협동 학습을 하는 이유가 학습 효과가 좋기 때문만은 아니다.
협동 학습 과정 자체가 공동체 교육이기 때문이다.

'나만 잘하면 된다.' '내가 잘하기 위해 다른 사람을 눌러야 한다.'
이런 식의 경쟁 관계 대신,
'함께하기 때문에 더 나은 우리가 된다.'
자연스럽게 이런 생각을 발견하게 된다.

하지만 협동 학습에 모두 찬성한 것은 아니었다.
선생님들이 협동 학습 수업을 늘리고 있을 때,
학부모님으로부터 원망 섞인 항의 전화도 많이 받았다.
"그 협동 학습이라는 거, 효과가 있긴 한 건가요?"

"어머님, 무슨 문제라도…."

"아니, 그냥 선생님이 가르쳐 주시면 안 되나요?
우리 아이보다 성적이 떨어지는 아이랑 짝이 되면 손해잖아요."
부모님 입장에서 보면 맞는 말이다. 하지만 그건 정말 오해다.
아이들은 자기가 이해한 것을 설명하면서 또 한 번 배운다.
그 지식을 외우려고 노력하지 않아도 자기 것으로 만들 수 있다.
가르치는 것은 가장 확실한 배움의 방법이다.

불만을 늘어놓던 부모님들도 나중엔 달라진다.
몇 해만 겪으면 협동 학습의 장점을 충분히 이해한다.

기독교적 관점에서 협동 학습은 반드시 필요하다.
아이들은 협동 학습을 통해서 공동체를 알아 간다.
공동체가 세워지려면 자신의 희생이 필요함을 깨닫는다.
현실은 냉엄하다. 나를 위해 남을 짓밟고 올라서는 것을 배워야 한다.
하지만 하나님이 주신 세계관은 다르다.
공동체를 위해 내가 희생하는 것이다.

저학년 때는 협동 학습을 했다 하면 폴짝폴짝 뛰면서 신나하더니

고학년으로 올라갈수록 귀찮아하는 아이들이 많았다.
자리도 이리저리 움직여야 하고, 문제도 스스로 만들어야 하고
모둠에 따라 시간이 지연되는 경우도 있으니 그럴 법도 했다.

그래서 한 번은 아이들에게 협동학습 전후의 사진을 보여 주었다.
협동 학습을 했을 때의 뇌 활동이 눈에 띄게 왕성했다.

"우와, 선생님 저거 진짜예요? 와 진짜 협동 학습해야겠다!"
아이들이 뇌 사진을 보고 감탄사를 내뿜었다.
사실 협동 학습의 장점을 아이들은 선생님보다 더 잘 알고 있다.

조금만 알려 주면 내가 정보를 더 많이 알 수 있다.
좋지 않았던 관계가 좋아진다. 창의력이 좋아진다.
문제 푸는 능력이 풍부해졌다. 많이 웃게된다. 경청하는 능력이 좋아진다.
다른 사람을 배려하게 됐다. 자신감, 기억력이 향상됐다.

인근 중학교 선생님들로부터 우리 졸업생들 칭찬을 자주 듣는다.
우리 학교 졸업생들은 뭔가 좀 다르다는 것이다.
의사소통 능력, 문제 해결 능력, 협동심 등이 뛰어나다는 것이다.

이런 말을 들을 때면 참 기쁘고 자랑스럽다.

'우리가 잘 가고 있구나.'

마음이 뿌듯해지기도 하고 어깨가 무거워지기도 한다.

tip 가정에서 활용하는 협동 학습법

수원 중앙기독초등학교 선생님들이 들려주는 협동 학습 이야기

※ 각자의 역할을 정해 주세요.

1번 시간 지킴이

2번 칭찬하기

3번 섬김이/ 깔끔이

4번 이끔이/ 조용이

가족이 모여서 제비를 뽑는다. 각자 자신이 뽑은 사회적 역할을 성실히 수행한다. 만약 아빠가 칭찬하기를 뽑았다면 가족 구성원들에게 칭찬하는 역할을, 만약 아들이 이끔이를 뽑게 되었다면 아이한테 가족이 함께 어떤 활동하는 시간 동안에는 리더의 역할을 맡겨 주는 것을 말한다. 일주일에 한 번 정도 새로운 역할을 나눈다.

협동 학습은 모듬세우기, 사고력 신장, 교실 세우기, 암기숙달구조, 정보 교환, 의사소통 구조 등 6가지 영역에 맞는 학습 신장을 위한 180가지 구조가 개발되어 있다. 《협동학습법》 참고.

아버지가 선생님이다

예비 학부모들은 흔히 농담 삼아
우리 학교에 입학하기가
낙타가 바늘구멍에 들어가기보다 더
어렵다고 말한다.

1년 동안 진행되는 입학 준비 과정을 모두 이수하고 나서야
비로소 입학 허가 조건에 들 수 있기 때문이다.
하지만 그보다 앞서 교회 출석, 봉사, 부모님 상담 등
기본 조건이 충족되지 않으면 이 모든 과정을 들을 수도 없다.
특히 3월에 있는 입학설명회에는 아버지가 꼭 참석해야 한다.

"아니, 집에 있는 엄마들이 하면 되지.
왜 바쁜 남자들을 불러내는 거야. 참, 유별나다니까."
"저는 6시가 다 돼서 문을 잠그려고 하기에
막 뛰어서 가까스로 골인했습니다. 하하하."
"어떻게 하죠? 저 혼자 삼촌인가 봐요.
아버지가 안 계시면 삼촌이라도 와야 한다고 해서…."

아버지들의 어려움을 모르는 것은 아니다.
각각의 사정과 상황이 다 다른데 한두 번도 아니고

1년에 걸쳐 아버지와 어머니를 번갈아가며 오라 가라 하니
귀찮기도 하고 불합리해 보일 수도 있을 것이다.

하지만 이렇게라도 강제로 하지 않으면
우리나라 아버지들은 교육에서 한발 물러서 있는 걸
당연하게 받아들이게 된다.

교육학을 전공하고 가정에서의 교육을 중시하는 나조차도
스스로 아이들과의 고리를 만들지 않으면
학교 일에, 교회 일에 파묻혀 아이들 일은 아내에게 맡겨 버린다.
전형적인 한국 남자가 되어 버리는 것이다.

엄마가 교육을 맡아서 하면
그 집은 아빠를 빼고 엄마와 아이들만 교육의 주체가 되지만,
아빠가 아이들 교육에 대해 관심을 갖게 되면
그 가정 전체가 교육이라는 커다란 주제로 하나가 된다.
그래서 우리 학교는 이 시스템을 고집하는 것이다.

학교 로고를 보면 이런 이념이 잘 드러난다.

알록달록한 세모, 네모, 동그라미가 어우러진 세 채의 집.
이것은 교회, 가정, 학교를 상징한다.
이 세 기관이 교육 공동체로서 협력해야
온전한 교육이 이루어질 수 있다는 의미다.

아버지들이 3월에 입학 설명회를 듣고 나면
7월쯤에는 어머니, 아버지 따로따로 부모 교육을 받게 된다.
작년부터는 외부 교육 전문가를 모셔서 세미나를 열고 있다.

올해 강사로 모신 분은 휘튼대학 교수님이었다.
기독교 교육과 부모, 자녀의 관계와 역할에 대한 강의였다.

교수님의 아들은
아이들 교육용 비디오인 〈베지테일〉 시리즈를 만든 분이었다.
그 비디오는 각종 야채 캐릭터들이 나와서
성경의 여러 교훈을 재미있는 음악과 함께 들려준다.
성경 내용을 훼손하지 않으면서도 아이들이 빨려들 만큼 재미있어서
전 세계적으로 대 히트를 친 작품이었다.
몇 년 전 우리나라에서도 교육방송을 통해 매주 방영된 적이 있다.

그런데 그 아들이 그렇게 잘 나가던 비디오 사업에 실패하게 됐다.
그 아들은 견딜 수 없는 좌절, 패배, 슬픔을 맛보게 되었다.
그 아들은 그제야 사람들이 하나, 둘 곁을 다 떠나 갈 때도
가족만은 자신을 지켜 주고 지지해 준다는 것을 알았다.
그 아픔의 시간을 통해 가족의 소중함을 체험한 것이다.

따뜻한 동화 같은 교수님의 간증이 끝나자
듣고 있던 아버지들은 여기저기서 눈물을 닦아냈다.

그런데 한쪽에서 누군가가 엉엉 소리를 내며 울기 시작했다.
너무 크게 울어서 다른 사람들이 모두 쳐다보았다.
한참 뒤에 그분은 눈이 퉁퉁 부은 채로 자기 삶을 고백하기 시작했다.

"저는 S그룹의 부장입니다.
저는 그동안 오로지 출세와 성공과 명예를 위해
앞만 보고 달려왔습니다.
제게 있어서 가족은 어느 순간부터인가
사랑의 대상이라기보다는 책임져야 할 의무가 되었습니다.
내가 의무를 다 하는 만큼

아내와 아이들도 그저 그렇게 하기만을 바랐습니다.
단 한 번도 아내나 아이들의 얘기를 진지하게 듣지 못했습니다.
아내가 왜 우는지, 아이들이 왜 마음 아파하는지 몰랐습니다.
그런데 지금 후회합니다.
나의 성공이 곧 가정의 승리라고 생각했는데….
가족을 뒷전으로 미룬 것이 얼마나 이기적이고 잔인한 것이었는지….
교수님 얘기를 듣고 나니까
정말 중요한 것이 무엇인지 조금이나마 알 것 같습니다.
감사합니다!"

그 아버지는 나중에 교수님과 이메일을 주고받으며
좋은 친구 사이가 되었다.

물론 더 중요한 건 그분의 삶과 목표가 바뀌고
가정이 바뀌었다는 점이다.

아빠
캠프

우리 학교 남자 선생님들은 수다쟁이다.
여자들이 많은 곳에서 생활하는
남자들은 수줍어한다는데
우리 학교는 남자 선생님이 많아서 그런지
모두들 왕수다꾼이다.
그 대화의 주인공은 언제나 아이들이다.

"뭐가 그렇게 재미있어요?"
"아, 목사님, 미니 스쿨 별로 현장학습을 계획하고 있었어요.
현장 조사 스타일로 할지, 색다르게 극기 훈련 스타일로 할지."
한참 즐겁게 얘기하는 걸 지켜보며 이런 생각이 들었다.
'왜 아버지들은 자기 자녀들을 위해 저렇게 고민하지 않는 걸까?'

라틴어로 학교 교육을 'in locoparentis' 라고 쓴다.
영어로 하면 'in the place of parents' 이다.
그러니까 '부모를 대신하여' 라는 뜻이다.
모든 교육은 부모가 주도적으로 해야 한다.
학교와 교사는 옆에서 돕는 조수일 뿐이다.
그런 의미로 볼 때 우리나라는 바뀌어도 한참 바뀌었다.

우리나라는 아버지들이 교육의 주체가 되기는커녕
학교나 학원, 그리고 아내에게 모든 걸 맡겨 버린다.
그리고 아버지는 돈만 벌어다 준다.
그것이 아버지로서의 할 일을 다했다고 생각한다.
그러다 아이들에게 문제가 생기면
모든 책임을 아내에게 돌려 버린다.

'어떻게 하면 아빠를 교육 현장에 끌어들일까?
이 궁리 끝에 나온 것이 '아빠캠프'이다.
개교한 다음해인 1995년부터 아빠캠프는 시작됐다.
사실 처음에는 '부자캠프'라고 이름을 붙였는데,

"부녀캠프는 왜 안 하냐?"

"사립학교라 맨날 부자들만 하는 캠프하나 보다."

이런 오해를 받아서 이름을 아빠 캠프라고 바꾸었다.

아빠가 안 계시면, 큰아버지, 삼촌이라도 불러야 한다.

그래도 안 될 경우 남자 선생님이 대신 하루 동안 아빠가 되어 준다.

아빠캠프가 시작되면 여자들은 출입 금지다.

엄마 없이 아빠와 단둘이 있어 보는 것이 처음이라는 아이도 있었다.

아버지들은 대개 캠프 첫 시간부터 진땀을 뺀다.

친한 친구 이름 알아맞히기 게임 때문이다.

"하영인가? 누구지?"
"아이참, 아빠는 매주 보는 애들도 몰라?"
대부분 아빠들은 잘해야 두 명 정도이고
그나마 하나도 맞추지 못하고 얼굴만 붉히는 아버지도 있다.

캠프가 진행될수록 아빠들은 깨닫는다.
자신들이 얼마나 무지하고 무심한 아빠였는지.

"아이 친구 이름이 하나도 떠오르지 않았어요.
그게 이렇게 부끄러운 일인지 아빠캠프 덕분에 알았습니다."
"회사 일 때문에는 고민하느라 잠 못 잔 적이 여러 날이어도
아이에 대해 깊이 생각하느라 시간을 보낸 적이 별로 없어요."

몇 해 전 아빠캠프에는 중국 출장 중에 잠깐 나오시는 분도 있었다.
지방 출장에서 오시는 건 예사였는데
외국에서 날아오신 마음을 생각하니 우리 가슴은 뭉클했다.
평범하게 참석하신 아버지들 마음이 고무되신 것은 물론이었다.
아빠캠프의 클라이맥스는 '모의장례식' 이다.
그날 저녁에도 어김없이 유서를 읽는 시간이 돌아왔다.

중국에서 날아온 아버지 차례가 되었다.

그 유서를 들으며 다들 울지 않을 수 없었다.

아들아, 처음 너를 만났을 때,

네 모습이 다른 아이들과 다르다는 것을 알고 하늘이 무너지는 줄 알았단다.

수많은 날들을 하늘을 원망하고, 운명을 저주하며 보냈지.

너를 무척 사랑하면서도 괴로움을 감당할 길이 없어

아빠는 너를 엄마에게 떠맡기고 바쁘다는 핑계로 밖으로만 돌았다.

… 그런데 하나님의 사랑이 나를 너에게 자꾸만 밀어 대시더구나.

교회 중보기도를 통해, 부모 교육을 통해, 그리고 아빠캠프를 통해…

내 마음은 이제 너와 하나가 된 것 같다.

이전에 소홀했던 나를 용서하고 지금의 내 마음만을 기억해 주렴.

내가 너를 얼마나 사랑하는지, 내가 너를 얼마나 기뻐하는지…

전능하신 하나님, 간절히 비옵나니,

우리 아들보다 하루만, 단 하루만 더 살 수 있게 해 주세요.

마지막까지 남아서 아이를 돌봐 줄 수 있게 해 주세요.

아빠캠프는 해가 거듭될수록 잘 익은 과일처럼 무르익었다.

졸업생들이 가장 인상 깊어하는 것도 아빠캠프다.

4부 왜 가르치는가 :
안식하기 위해서

우리가 서로의 관계 속에서 예수님을 경험할 때
예수님은 우리를 쉼으로 초청하신다.

천지는 며칠 동안 창조되었을까? 이렇게 물어 보면 열에 아홉은 6일이라고 대답한다. 사실 이러한 생각은 사람 중심적인 생각에서 비롯된 것이다. 마치 하나님이 사람을 만들고 이제 모든 목적을 이룬 것처럼 쉬신 것이라고 생각하는 것이다.

하지만 창세기 1-2장을 유심히 살펴보라. 하나님은 7일 동안 창조하셨다. 7일째 안식까지 창조하셨다. 하나님은 안식이 목적이었다는 것이다. 하나님은 일하시려고 쉬신 분이 아니라, 쉬기 위해 일하셨다. 많은 사람들은 다시 일하기 위해 쉰다. 휴식은 재충전의 시간일 뿐이다. 이런 시각이야말로 대표적인 인본주의적 시각이다. 하나님이 지구를, 사람을 창조하신 목적은 쉬기 위해서였다. 하나님은 영원한 안식을 준비하기 위해 우주를 만드셨다. 하나님은 창조하시고 나서 꼭 말씀하셨다. "보시기에 즐거웠더라." 하나님은 만든 걸 보시고 즐기셨다. 창조의 모든 것을 하루 종일 만끽하셨다. 기쁨을 이기지 못하셨다.

그래서 예수님의 초청은 빈 말이 아니라 매우 의미심장한 말이다. 창조하실 때부터 하나님은 이것을 목표로 하셨다. 다만 인간의 일그러진 죄성 때문에 우리가 쉼을 포기했고, 예수님의 초청을 귀담아듣지 않았을 뿐이다. 인간은 하나님의 쉼에 대한 가치를 평가절하했고, 쉼을 왜곡했다.

아담과 하와가 죄를 지었던 까닭은 하나님처럼 되고 싶은 욕심 때문이었다. 그러한 경향성 안에서 인간은 안식을 포기해 온 것이다.

멈춘다는 것은 인간인 나는 이 일을 할 수 없고,
나는 하나님이 아니라는 정기적인 고백인 것이다.
정기적으로 멈출 때 피조물의 원래 목적이 회복된다.

노동, 우리 집안의 내력

일하는 것은 거룩하지 못한 것일까?
일은 선한 것일까, 악한 것일까?
일은 축복일까, 저주일까?

우리 가족이 일 잘하는 것은 집안 내력이다.

생김새만 봐도 눈치가 엄청 빨라 보이는 우리 아버지는
5남매의 막내로 태어나 잔심부름을 많이 하며 자라셨다.
중학교 때 6·25가 났다.
미군들을 만났는데, 미군들이 장작을 해 달라는 걸 눈치로 알아차리고
논두렁 말뚝을 뽑아서 갖다 주었다고 했다.

동란 중에 장작을 해 온 아버지가 신기했는지,
아버지는 미군 하우스보이로 뽑혔다.
미군들이 식사하는 동안 군화를 닦아 놓고, 그릇을 닦아 놓고 했다.
남의 마음을 먼저 알아채고 일을 다부지게 해내는 아버지를 보고
미군들이 참 좋아했다.

아버지는 칼 파워스 상사를 만나 미국에 공부하러 가게 됐다.

아버지는
밥존스대학에서
아르바이트를 할 때
어머니를 만났다.
어머니 가정 형편은
좋지 않았다.

4형제 모두 밥존스 대학에 다니고 있었기 때문이다.
어머니는 학기 중에 구내 식당에서 일하는 대신 학비를 면제받았다.

아버지는 어머니가 씩씩하게 일 잘하는 모습을 보고
어머니를 미래의 아내로 점찍었다고 했다.
그렇게 일을 좋아하는 가정에서 태어났으니
나는 일복을 타고난 사람이지 않겠는가.

초등학교 3학년이 되었을 때 아버지는 나를 부르셨다.
"요셉아, 3학년이 되니 용돈 필요하지?"

나는 눈이 반짝반짝 빛이 났다.
'아버지가 용돈을 주시려나 보다.'
사실 3학년쯤 되니까 친구도 많아지고, 할 일도 많고,
또 친구들이 자기 마음대로 쓰는 걸 보니까
나도 마음대로 사용할 수 있는 용돈이 있었으면 했다.

"그럼요, 아버지."
"그래? 나한테 좋은 아이디어가 있는데."

아버지는 나를 평창 제과점이라는 제과 공장으로 데리고 갔다.
그러고는 초등 3학년인 내게 아이스케키 통을 턱 걸어 주었다.
그때는 전쟁고아들이 아이스케키를 많이 팔았다.
하지만 난 고아가 아니었는데….

"이제부터 네 용돈은 네가 벌어라."

아버지는 그 한마디를 던지시고는 잰 걸음으로 사라지셨다.
'왜 아버지를 수원 깍쟁이라고 부르는지 이제야 알겠다.'
속으로 이렇게 중얼거렸지만,
겉으로는 찍 소리도 못한 채 거리에 달랑 혼자 남겨졌다.
조그만 꼬마, 그것도 혼혈아이가
자기 몸만 한 아이스케키 통을 메고 수원 시내 한복판에,
한여름 뙤약볕 아래 오도카니 서 있는 모습….

어디에 가서 무엇을 어떻게 해야 할지 도통 떠오르지 않았다.
조금 있으려니까 골목 귀퉁이에서 소리가 들렸다.
"아이스케키여!"
중학생쯤 돼 보이는 형이 사람들을 향해 외쳤다.

'저렇게 하는 거구나.'
일단 나는 그 형이 하는 것을 유심히 관찰했다.
형이 하는 대로 똑같이 따라할 참이었다.

나는 심호흡을 가다듬고 있는 힘껏 소리쳤다.
"아이스케키여!"
그런데 어쩐 일인지 소리가 목구멍 바깥으로 나오질 않았다.
이대로 가다간 아이스케키가 다 녹아 버릴 것만 같았다.

시간은 자꾸 흘러가고 얼굴에 땀이 송글송글 맺혔다.
그렇게 무작정 걷다가 우연히 큰 병원 앞에 다다랐다.
그 병원은 수원에서 제법 큰 기독 병원이었다.

한 간호사 한 사람이 잠깐 나왔다가 나를 한참 보더니
신기한 듯이 꼬치꼬치 캐묻기 시작했다.
"얘, 너 여기서 뭐하니? 너 한국말 할 줄 아니?"
"네. 저 여기서 아이스케키 팔고 있어요."
"뭐? 너 몇 살이니?"
"10살이에요."

"조그만 애가 왜 그런 걸 팔고 다니니? 엄마, 아빠 안 계시니?"
"저 고아 아니에요. 그만 물어보시고 제 아이스케키 좀 사 주세요."

내 부탁에 그 누나는 병원 안으로 나를 데리고 들어갔다.
그때부터 생각지도 못한 방문 판매가 시작됐다.

그 간호사 누나는 내가 부탁도 하지 않았는데
의사, 간호사, 직원, 심지어 환자 가족들에게까지 나를 소개했다.
그리고 자기 일인 양 아이스케키를 사 달라고 부탁했다.

아이스케키는 삽시간에 그 자리에서 동이 났다.
처음 아이스케키 통을 받았을 때의 답답함은 온데간데없었다.
아이스케키가 하나, 둘씩 팔리는 걸 보니 신바람이 났다.

나는 아이스케키 판매하랴, 계산하랴 정신이 없었다.
'아이스케키를 3원에 받아와서 5원에 팔았으니까
내가 오늘 남긴 돈은…. 헉, 자그마치 60원!!
와, 내가 이렇게 큰 돈을 벌다니, 이거 꿈 아냐?

나중에 아이스케키 장사를 했던 형들 말을 들어보니까
잘 팔아야 하루 이익이 20, 30원 정도라고 했다.
그러니까 첫날부터 대박이 난 거였다.
아이스케키 통 하나를 비우고 마치 세상을 다 얻은 것처럼 기뻤다.
뭐든지 해낼 수 있다는 자신감도 생겼다.

신나게 팔고 돈을 많이 번 것까지는 좋았는데
이미 날이 어둑어둑해졌다.
하루에 두 번 다니는 버스도 끊긴 지 오래였다.
그렇다고 집까지 걸어가자니 도무지 엄두가 나질 않았다.
그래서 평소에 꿈도 못 꾸었던 합승택시를 기분 좋게 집어탔다.

택시는 미끄러지듯 달려 집에 다다랐다.
그런데 택시 요금이 더도 덜도 아닌 딱 60원이 나왔다.

그 다음날 동네의 친한 형들이 달려왔다.
"야, 너 케끼 판다며? 우리도 같이 가!"
"그래, 재평이 형 같이 가자."
친한 형들과 함께 아이스케키 판매에 나섰다.

무작정 시내 한복판에 나가기보다는
병원, 은행 등 고급 구매자를 찾아다니는 전략도 생겼다.

내가 시선을 좀 끌게 생겼으니까
일단 먼저 "아이스케키여~" 하고 목청을 돋우었다.
사람들 시선을 끌면, 형들이 아이스크림을 파는 식이었다.
용돈이 궁하지 않을 정도로 쏠쏠했다.
(그때 아이스케키 3총사는 지금도 우리 교회를 열심히 섬기고 있다.)

그렇게 시작해서 4학년, 5학년, 6학년 때까지
여름방학 내내 아이스케키 장사를 해서 용돈을 벌었다.

중학생 때부터 고등학교 때까지는 신문 배달을 했다.
하루에 5백-7백 부 정도를 배달했는데,
그러려면 하루에도 몇 번씩 보급소에 왔다갔다 해야 했다.
대학생이 되고 나서는 안 해 본 일이 없었다.
주유소, 인쇄소, 학교 청소….
나는 일하면서 학교에 다니는 것이 당연한 줄 알고 자랐다.
일을 시작한 뒤로 부모님께 용돈을 달라고 손을 내민 적이 없었다.

어렸을 때는 참 몰인정해 보였던 아버지.

그런데 어른이 되고 나서야 아버지의 참 마음을 이해할 수 있었다.

아버지는 노력의 대가가 얼마나 소중한 것인지 깨닫게 해 주셨다.

용돈을 내 힘으로 벌 수 있다는 게

스스로에게 얼마나 큰 힘이 되는지 알게 하셨다.

일하는 사람은 '자신이 없다.' '내가 뭘 할 수 있을까.'

하는 생각을 하지 않게 된다는 것도 알게 하셨다.

아버지가 되고 나니, 나도 아이들이 어렸을 때부터

노동의 가치를 심어 주고 싶었다.

그래서 아이들이 어려서부터 집안일을 시켰다.

세탁기를 돌리고 널고 개는 일, 진공청소기로 청소하는 일,

세차하는 일, 다 세탁된 옷을 각자의 옷장에 넣는 일….

우리 아이들은 이런 일을 하며 용돈을 받는다.

가끔 아이들이 투덜대면 나도 아버지처럼 성경 구절을 들이댄다.

"샤론이 너 이 말씀 몰라?"

게으른 자여 개미에게로 가서 그 하는 것을 보고 지혜를 얻으라(잠언 6:6) 손을 게으르

게 놀리는 자는 가난하게 되고 손이 부지런한 자는 부하게 되느니라(잠언 10:4) 문짝이

돌쩌귀를 따라서 도는 것같이 게으른 자는 침상에서 구으느니라(잠언 26:14)

어느 중독자의 고백

집안의 배경이 이렇다 보니
나는 안 쉬는 척하면서 쉬었다.
안식할 필요가 있었지만 쉴 수가 없었다.
월요일부터 토요일까지는 학교 교목으로,
주일에는 원천침례교회의 목사로 일하면서
속으로는 늘 이렇게 말했다.

"저는 지금 하나님 일을 하고 있잖아요.
하나님을 위해서 하는 거예요.
하나님을 위해서 쉬지도 않고 최선을 다하고 있는 거라구요."

열심히 하면 뭔가 작품을 만들 수 있을 것 같았다.
작품을 만들 수만 있다면 이 정도의 희생은 할 수 있었다.
하지만 안식하지 못한다는 것이 얼마나 큰 죄인지는 몰랐다.

2000년 우리 학교 주관의 MK 전국대회가 열릴 때였다.
30개 나라의 인터내셔널 스쿨이 모여
세미나를 하며 연일 선교의 열기를 뿜어내고 있을 때,
낮 동안 내가 세미나에서 사람들에게 감동을 주고 있을 때 아내는 집에서 미국으로 돌아가겠다며 울고 있었다.
세미나를 마치고 집에 들어가면 우리는 밤에 잠도 자지 않고 싸웠다.
오전에는 얼른 그 상황을 피해 학교로 도망왔다.

어느 순간 그런 일들이 반복되고 있었다.

문제의 발단은 이랬다.
학교 도서관 일을 돕는 젊은 청년이 음란 사이트에 빠져 있다는 것을
우연한 기회에 알게 되었다.
청년을 도와주려고 상담하는 과정에서 나는 호기심이 일었다.

그러면서 나도 곧 그 덫에 걸려들고 말았다.
그때 나는 사실 스타크래프트 게임에도 중독되어 있었다.
우리 아들과 다음 세대를 이해한다는 것을 빌미로
인터넷 게임에 푹 빠져 들었던 것이다.
알코올, 마약처럼 컴퓨터 중독이 있다는 것을 알았지만
나는 괜찮다고, 나는 조절할 수 있다고 생각했다.
내가 하나님이 되어 나를 조절할 수 있다는 착각….
그 속에 빠져 있었던 것이다.

아내는 많이 지쳐 있었다.

한국에서의 결혼 생활 10년 동안 아내는 쉴 틈이 없었다.

세 아이의 엄마로, 주부로, 학교의 미술 선생님으로

일인 다역을 감당하느라 몸과 영이 지칠 대로 지쳐 있었다.

나는 아내의 마음을 헤아릴 줄 몰랐다.

오히려 자꾸 날카로워지는 아내를 피해 밖으로만 돌았다.

아내가 우리 문제를 말하려 할 때마다 나는 인터넷으로 도망을 갔다.

결국 아내는 나의 중독 증세를 알아차렸다.

나는 처음엔 그 사실을 부인했다.

아내가 다그쳐서야 겨우 반 정도만 고백했다.

하지만 반쪽의 고백은 문제를 점점 어렵게만 만들었다.

아내는 울면서 내게 말했다.

"우리 이렇게 살면 안 되잖아요. 나요, 도저히 숨 쉴 수가 없어요.

제발 여보, 우리 상담이라도 받아 보면 안 돼요?"

우리 부부는 더 이상 우리끼리 문제를 해결할 수 없음을 시인하고 부모님께 도움을 청했다.

부모님은 교회에도 고백하고 도움을 받도록 길을 내주셨다.

정면 돌파를 권하셨던 것이다.

겁이 났다.

만약 목회자의 자리를 그만두어야 한다면?

난 영어 강사를 하고 아내는 미술 강사를 해서 생활이야 꾸려가겠지….

하지만 이 부끄러움과 죄짐을 어찌한단 말인가.

나는 예전에는 죄짐이 이렇게 무거운 것인지 몰랐다.

마음을 단단히 먹고 교인들 앞에서 고백했다.

참담했다.

내가 이런 고백을 해야 한다는 것이. 하나님 앞에 너무나 부끄러웠다.

"저는 여러분의 리더가 될 자격이 없는 사람입니다.

여러분들의 판단에 따르겠습니다."

하지만 우리 공동체는 리더인 나보다 더 성숙했다.

나를 내치기는커녕 오히려 안식년을 가질 것을 권유했다.

부모님으로부터는 전문 상담을 받을 것을 제안받았다.

그해 10월, 우리 부부는 열흘 동안 미국에서 상담을 받았다.
영화 〈악토벌 스카이〉와 래리 크랩의 책들,
그리고 다른 목사 부부들과의 그룹 상담 등을 통해
우리 부부의 문제들을 발견하기 시작했다.

내 문제는 이미 많이 드러난 상태였지만,
아내도 자신이 비난의 잣대로 나를 몰아세웠음을 깨달았다.
나보다 아내가 몇 배는 더 힘든 과정이었겠지만,
그 과정을 통해 어두운 터널 속에서 희미한 불빛을 발견한 느낌이었다.

두 주 동안의 여행이 끝났다.
한국에 돌아와 안식년을 준비하면서
나는 아내가 또 한 생명을 잉태했음을 알게 되었다!

그리고 그 이듬해인 2001년 1월,
교회 담임 목사직, 학교의 교목 등 모든 직책을 내려놓고
우리 가족은 미국으로 안식년을 떠났다.

이런 일을 겪기 전까지 나는 안식년을 꿈꿀 때마다

뭔가 새로운 일에 대한 성과가 있어야 한다고 생각했다.
하지만 정작 안식년을 떠나게 되었을 때 나는 아무것도 할 수 없었다.
아내가 임신을 한 상태였기에 여행도 할 수 없었다.
미국에서 학교 후원을 위한 비영리 법인 설립 계획도 무산되었다.

다른 것은 몰라도 아이들을 미국 학교에 보내는 것은 자신 있었다.
미국 학교의 사정도 잘 알고 있었고, 인맥도 있었다.
하지만 셋째를 유치원에 보내는 것조차 나는 하지 못했다.
아이를 할 수 없이 대기자 명단에 올려놓고 보니 그제야
우리 학교 입학 대기자 학부모의 마음이 이해가 됐다.

무엇보다 나를 허무하게 한 것은
부목사님들에게 연락 한 번 오지 않는 것이었다.
'메일로라도 보고를 해 줄 줄 알았는데….'

마음이 시무룩했다.
부목사님들한테는 메일을 받지 못했지만,
이래저래 교회 소식을 들으면 이게 무슨 영문인가 싶었다.
내가 없는데도 교회가 더 부흥한다고 했다.

인원도 헌금도 늘고 부목사님이 더 뜨겁게 일한다고 하니
내가 얼마나 속이 까칠해졌겠는가.

"하나님, 서운합니다.
제가 없어서 교회가 힘들다는 말을 듣고 싶은지도 모르겠습니다.
하나님, 제게 정말 왜 이러십니까?"

하나님은 하나를 막으시더니 둘을 막으셨다.
결국은 다 내려놓도록 하신 것이다.
하나님께 납작 엎드릴 수밖에 없었다.

안식년 동안 우리 가족이 할 일은 별로 없었다.
함께 식사를 하고, 식사가 끝나면 다 같이 성경을 읽고
한국의 교우들에게 받아 온 기도 카드를 놓고 기도하거나,
근처에 공립 도서관에서 자료를 찾아 읽는 게 전부였다.
또 노스캐롤라이나의 울창한 숲과 호숫가를 산책하기도 했다.

주일에 우리 가족은 가까운 교회에 가서 예배를 드렸다.
나는 너무나 설교를 하고 싶었지만,

내게 설교를 부탁하는 사람은 아무도 없었다.
나는 평신도처럼 1년을 지내야 했다.

그러면서 아내는 '마더 와이즈'라는 프로그램을 만났다.
엄마들을 상대로 한 성경 공부 프로그램이었는데, 이를 통해 아내는
하나님은 자신을 미술 교사로, 미술가로도 부르셨지만
가정을 세우는 자로도 부르셨다는 것을 알게 되었다고 고백했다.

아내는 많이 울었다.
아내는 한국에 돌아가면 이 프로그램을 보급하고 싶어했다.
그 무렵 나는 마르바 던의 《안식》이라는 책을 읽었다.
이 책을 몇 번이나 탐독했는지 모른다.
하나님의 천지를 창조하신 목적이 쉼이라는 사실에
깜짝 놀라지 않을 수 없었다.

'하나님 이제야 알겠습니다. 제가 왜 중독에 빠져 있었는지.'

그때까지만 해도 나는 성공의 봉우리에 서 있는 줄 알았다.
학교는 안정적이었다. 교회도 부흥의 궤도에 올랐다.

뭐든지 할 수 있다는 강한 유혹에 시달렸다. 쉬지 않았다.

나는 하나님을 위해서 일하고 있다고
입에 침이 마르고 닳도록 말했지만,
사실은 내가 할 수 있다는 자신감 때문에 일하고 있었던 것뿐이다.

내가 없으면 안 되는 교회와 학교를 꿈꾸고 있었던 것이다.
아버지보다 더 훌륭한 목회자가 되어야 한다는 무의식이
나를 지배했는지도 모른다.

하나님을 위해서가 아니라,
아버지만큼 훌륭한 목회자가 되었다고 인정받기 위해서,
아버지에게서 인정받는 목회자가 되기 위해서,
내 아내에게 능력 있는 남편이 되고
아이들에게 존경받는 아버지가 되기 위해서
나는 열심히 일했던 것뿐이다.

거의 마약 중독자처럼 일에 지배를 받았다.
하나님의 대리자로서 피조물을 관리하는 청지기가 아니라

내 영향력을 확대하기 위해서 일하기 시작한 것이다.

이것이야말로 아담과 이브가 에덴동산과 맞바꾼
죄의 영향력이었다.
내가 하나님이 되고 싶다는.
"내가 하나님이면 좋겠어!
내가 나의 삶을 통제할 수 있었으면 좋겠어."
이것이 나의 죄였다.

"충만하라, 다스리라!"
일은 하나님이 인간에게 주신 유일한 기회였다.
나는 이 참여의 기쁨을 저주로 바꾸었다.
하나님이 축복으로 주신 일,
노동을 하나님이 되고 싶은 경향성과 맞바꾼 것이다.

"난 하나님의 하시는 일을 돕고 있을 뿐입니다."
피조물의 자리 찾기를 선포하는 안식일을 지키지 않고,
그 고백 없이 달려오기만 했으니, 나는 죄에 빠질 수밖에 없었다.

그때부터 우리 가족만의 안식이 생겼다.

토요일 저녁이 되면 촛불을 켜는 것으로 안식일을 맞이한다.

그리고 아주 맛있는 만찬을 먹는다.

만찬이 끝나는 순간부터 주일 저녁 식사하기 전까지,

그러니까 안식일 촛불을 끌 때까지는 아무 일도 하지 않았다.

주방에 더러운 그릇들이 쌓여도 설거지를 하지 않았다.

숙제도, 인터넷도, 아무것도 하지 않았다.

하는 일이라고는 찬양과 기도뿐이었다.

그리고 일을 더 잘하기 위해서가 아니라

쉬기 위해서 평소에 읽고 싶었던 책을 읽는다.

일중독자나 다름없었던 내게는 그것이 훈련이었다.

샘물이 고이려면 그냥 놔둬야 한다는 걸 배우기 시작했다.

회복의 시간이었다.

그러면서 하나님은 내게 이렇게 말씀하셨다.

"요셉아, 나는 네가 필요해서 쓰는 게 아니야.

나는 너를 사랑해서 쓰는 거야.

너는 있는 모습 그대로, 아무것도 하지 않아도 용납받는 존재야.

존재 자체로 내게 너무 귀하단다."

이 말씀이 내게 얼마나 큰 위로가 되었는지 모른다.

나는 이제까지 착각하고 있었던 것이다.

내가 없으면 안 되는 줄 알았다.

학교도 교회도 하지만 하나님의 일은 하나님이 책임지신다!

하나님은 내가 그 일을 할 수 있어서 나를 부르신 게 아니다.

하나님의 일에 동참할 기회를 주신 것뿐이다!

하나님은 내게 겸손의 지혜를 주셨다.

성공한 아버지보다 성실한 아버지가 되는 게 중요하다는 것을

하나님은 내게 말씀해 주셨다.

필요를 채워 주는 존재가 아니라 함께하는 존재가 되길 원하신다고.

안식년이 끝나고 다시 학교와 교회에 돌아왔다.

부목사님들이 나를 보자마자 반기며 말했다.

"무슨 일이 있어도 안식년 동안에는 보고하지 않기로 단합했었죠."

나는 그것도 모르고….

하지만 하나님의 섬세한 배려가 나를 바꾸고 있었다.

학교도 교회도 내가 없으면 안 되는 줄 알았던 일들,
나의 자존심을 만족시키던 그 많은 일…. 다 내려놓기 시작했다.

담임 목사와 부목사 개념을 없앴다.
덩치가 커진 원천교회를 5개로 나누고
각각의 교회에 담임목사를 세워 따로 운영하게 했다.
나도 한 작은 교회의 담임 목사가 되었다.
다만 그 다섯 교회의 대표가 필요할 때는 대표 역할을 맡기로 했다.

학교도 유치, 초등 1·2학년, 초등 3·4학년, 초등 5·6학년
이렇게 미니 스쿨로 나눠서 팀장들이 알아서 운영하게 했다.
내가 통제하려는 마음을 내려놓았더니
학교도 교회도 정말 얄미울 정도로 잘 돌아갔다.
그리고 교회에서 안식 세미나를 열었다.
이제 앞으로 교회에 돌아가면 어떤 메시지를 전해야 할지,
아내와 함께 안식을 끝마치고 돌아오기 전에 기도했을 때
하나님은 '안식'에 대해 말씀하셨기에
안식 세미나를 연 것이다.

내가 처음 안식의 가치를 접할 때와 마찬가지로 교인들은 술렁였다.
안식을 회복하면서 삶의 목표가 달라지자
교인들도 눈에 띄게 변하기 시작했다. 안식의 힘이었다.

지금도 우리 가족은 안식을 누리며 살려고 애쓰고 있다.
일단 미국에서 돌아오자마자 텔레비전을 바자회에 내놓았다.
그 돈으로 건축 헌금을 했다.
가족간의 시간을 갉아먹는 텔레비전을 가져다 버린 것은
지금 생각해도 정말 잘한 일이다.
우리는 몇 년째 텔레비전 없이 잘 살고 있다.

그대신 놀이를 한다.
어머니와 함께 우리 가족이 안식일을 보낸 적이 있었다.
카드를 뽑아서 그 카드에 나오는 단어를 몸으로 표현하는 놀이였다.
어머니가 단어를 몸으로 표현하려고 판토마임 배우처럼
끙끙거리는 모습을 보고 우리는 배를 움켜쥐고 한참을 깔깔거렸다.
그 모습이 얼마나 재미있었는지 모른다.

그러면서 내 속에 드는 생각이 있었다.

'그래, 우리는 이렇게 가족과 행복한 시간을 보내려고 일하는 거야.
일하기 위해서 가족이 필요한 게 아니지.
하나님이 우리를 만드신 목적이 안식이라는 것은 참말이다.'

아내와 자녀는 여전히 토요일 저녁에서 주일 저녁까지
안식일을 지키고 있다.
나는 목사로서 그게 잘되지 않아서
주일 저녁에서 월요일 저녁까지 안식한다.

안식한다는 게 말처럼 쉬운 일은 아니다.
메일을 체크하지 않는 것, 핸드폰을 켜 두지 않는 것이 쉽지만은 않다.
특히 목사가 성도들 가정에 문제가 있다는데도
집에서 반바지를 입고 뒹굴고 있는 것은
감히 상상하지 못할 일일지도 모르겠다.

특히 나의 안식을 가장 방해하는 것은 일중독자 우리 아버지다.
하지만 나의 영향력을 최소화하고
하나님께만 의지하는 훈련이 얼마나 유익한 것인지를 알기에
나는 겸손히 그 훈련을 받는다.

쉴 때는 확실하게 쉬자
쉬는 시간 30분

나는 학교도 안식하도록 만들기
위해 노력했다.
그 중의 하나가 우리 학교만의
특별한 쉬는 시간이다.

"이건 인권 유린이라고요.
아니 어떻게 아이들 수업 시간이 80분이나 돼요?"

처음 우리 학교의 시간 편성을 말씀 드렸을 때
학부형들의 반발은 예상 외였다.

우리 학교가 50분 수업하고 10분 쉬는 게 아니라
40분+40분을 연달아 수업하고 30분을 쉬게끔 시간을 편성한 것은
공부할 때는 확실하게 공부하고,
쉴 때는 확실하게 쉬게 하자는 생각에서였다.

그렇다고 80분 동안 한 과목 수업을 계속하는 것은 아니다.
다른 과목을 준비하는 10분 휴식 시간을 없애고
다른 과목을 이어서 바로 하고,

차라리 확실히 놀 수

있는 시간을 확보해 주자는 것이다.

다음 수업을 위한 준비 시간이 아니라,

아이들한테 진짜로 중간 휴식 시간을 주고 싶었다.

30분이라는 시간 동안 아이들은 마음 놓고 쉴 수 있다.

바깥놀이도 할 수 있고 도서관에서 책을 볼 수도 있고

친구들과 짧은 게임도 할 수 있다.
그렇게 수업시간 동안 긴장했던 것을 풀어내고 나면
그 다음 수업도 늘 첫 시간처럼 새롭게 맞을 수 있다.

처음에는 오해가 있어서 반발이 많았지만,
이제는 우리 학교의 독특한 시간 편성으로 자리를 잡았다.

다른 학교 사서 한 분이 우리 학교 도서관에 방문했다가
자유롭게 책을 보고 있는 아이들을 보면서 물었다.
"쟤네들 오늘 수업 없어요?"
"지금 쉬는 시간인데요."
"아니, 아까부터 지금까지 놀고 있던데요."
"아, 저희 학교 쉬는 시간이 좀 길어서요."
그 사서 선생님은 연신 고개를 갸우뚱거리셨다고 한다.

안식을 위해서였다.
하나님이 여섯 날 동안 창조하신 것은 안식하기 위해서였다.
하나님은 세상을 창조하시고 안식하셨다.
일곱째 날에도 안식하셨지만

나머지 여섯 날 동안에도 낮에는 창조하시고
밤에는 그것을 보시고 기뻐하시며 안식을 누리셨다.

하나님의 창조성은 바로 그 여유와 안식에서 비롯된 것이다.
그것이 우리 학교가 닮고자 하는 하나님의 형상이다.
충분한 안식, 충분한 누림 속에서
아이들은 무한한 창의력을 발휘할 수 있다.

안식은 선생님들께도 적용된다.
결혼한 커플 선생님들이나 새로 오신 선생님께는
1년 동안은 보직을 맡기지 않고 있다.
새로운 생활에 적응하는 것 자체만으로도 큰 일이기 때문이다.
여유를 갖고 새 일을 연구하며 관찰하도록 하면
선생님들도 훨씬 더 창의적인 태도를 가지게 된다.

임신한 선생님도 다른 책임을 맡지 않도록 하고 있다.
처음에는 임신을 이유로 담임을 내려놓고 다른 행정 업무를 하는 게
차별이라고 오해를 하셨던 선생님도 많았지만,
이제 이런 오해는 받지 않는다.

책도 여백이 있어야 만들어지고 읽혀지듯이,
우리의 삶에서도 안식이 뿌리를 잘 내려야 열매를 맺는다.
열매가 열리기 전까지는 우리는 내내 기다려야 한다.
하나님이 하시는 것을 바라보는 여유를 배워야 한다.
그때 열매가 맺히는 것이다.

그 열매는 아이들에게는 창의성이란 이름으로 열린다.
우리 아이들은 자연스런 안식의 개념을 통해
하나님의 무한한 창조성을 배우고 있다.

"수원중앙기독초등학교 출신은 좀 달라요.
자유롭고, 기발하고 창의적이고 눈에 띄는 편이죠.
도대체 어떻게 하시기에…."
우리 아이들이 진학한 중·고등학교 선생님들로부터
이런 말을 들을 때마다 정말 흐뭇하다.

마치 하나님이 이렇게 격려하시는 것 같다.
'음, 잘하고 있는 거야….'

모든 사람에게는 각각의 다른 '똑똑' 이 있다.
음악 똑똑, 신체 똑똑, 공부 똑똑….
이렇게 저마다 다른 색깔과 독특함이 있다.
그것을 계발시키는 것이 중요하다.

한 가지 색깔만 강요하는 교육은 위험하다.
나머지 사람들을 무가치한 사람으로 인식시키기 쉽다.

우리 학교는 개교 때부터 방침을 정했다.
"6명을 버리고 1명의 걸출한 인물을 양성하지 않겠다."
"7명 모두 각자의 달란트에 맞도록 교육하겠다."
이것은 내가 돌반에서 경험한 가치이기도 했다.

쉼에서 창의성이 나온다

작년 열매축제 때 일이다.
전학 온 아이의 어머니가 깜짝 놀랐다.
축제 때 전시된 아이들그림 때문이었다.
"저, 선생님 그림도 함께 전시되나요?"

"아니, 다 아이들의 작품인데요."
"이게 선생님 작품이 아니라고요?"
"어디 보자. 아, 이거 5학년 은반 아이 작품이네요."

그분은 미술을 전공하신 분이라고 했다.
그 어머니가 놀라신 건 아이들의 뛰어난 작품성 때문이라기보다는
아이들에게서 나온 무한한 상상력 때문이었다.

도저히 초등학생 작품이라고 할 수 없는 수많은 작품들.
전시회장을 둘러보는 내내 그분은 놀라움을 감추지 못하셨다.

"그래도 선생님이 좀 도와주셨지요?"
"아이디어부터 완성까지 모두 아이들 작품입니다."
"…"

외부 손님들의 반응은 한층 더하다.
해마다 감상하는 나도 놀란다.
'이게 우리 아이들 작품 맞아?'
처음 열매축제를 대하시는 분들이야 오죽할까.

어쩌면 이것은 당연한 반응이다.
아이들의 번득이는 아이디어와
개성을 듬뿍 담아 낸 작품.

열매축제 때 가끔,
보이는 것 외에도 창의적인 교육에 대해 묻는 분들이 계신다.
중앙기독초등학교가
기독교 교육을 하고 통합 교육을 하는 것까지는 알겠는데
도대체 창의적인 교육은 어떻게 하는 거냐고 궁금해하신다.
그래서 입학설명회 때 아버지들에게 시연회를 하기도 했다.
임채영 미술 선생님이 아이들에게 하는 대로 지도를 하신다.
그리고 15분 동안 아버지들이 작품을 만들게 한다.

그런데 그 짧은 시간에,

아버지들은 미술 선생님도 놀랄 정도의 작품들을 만들어 냈다.
더 재미있었던 건 당사자들도 놀랐다는 것이다.
"와, 이게 제가 만든 거 맞나요?"
"그럼요. 제가 하나도 도와드린 것 없죠?"

"그냥, 말씀하신 대로 최대한 자유롭게 한 것뿐인데….."

"뛰어난 창의력을 가지고 계시면서도 모르고 계셨단 말이세요?"

"어쨌거나 아이들이 어렸을 때부터 이런 교육을 받는다고 생각하니까
아주 흥분되는데요."

225

우리 학교 교사들은 아이들의 작품에 손을 대지 않는다.
손을 잡고 그려 주는 테크닉은 더 더욱 가르치지 않는다.
심지어 다른 미술대회도 내보내지 않는다.
미술은 자신을 표현하는 도구인데
그것으로 점수가 매겨지기 시작하면 창의성은 죽는다.

우리 아이들의 작품이 보는 이에게
신선한 충격을 주는 이유는, '아이들은 이 정도까지.'
이렇게 한정 지어 놓은 고정관념을 깨기 때문이다.

인간의 창의성은 쉼으로부터 온다.
일을 멈춘다는 것은 하나님께 고백하는 것이다.
"하나님, 인간인 저는 이 일을 할 수 없고,
저는 하나님이 아닙니다."
쉼은 창조주만이 주실 수 있는 것이다. 예수님만이 주실 수 있는 것이다.
그분께 순응해서 그분과 함께 멍에를 메고 그분의 일에 동참하는 것,
그것이 쉼이다.

하나님의 교육 목표는

쉴 줄 아는 사람, 만끽할 줄 아는 사람으로 만드는 것이다.
하나님의 쉼의 초청에 응할 줄 아는 사람을 만드는 것이다.

쉼 속에서 창조성이 나오는 것이다.
여유와 쉼이 없으면
아름다움을 진정으로 표현하고 체험할 수 없는 것과 같다.

교육은 아트다.
가르침은 예술이다.
하나의 작품이다.
부모로서, 교사로서 아이를 교육시키는 과정은
성령님의 역사를 통해서 만들어지는 것이기 때문이다.

쉼의 가치를 회복하는 교육을 해야 한다.
음표보다 중요한 것이 쉼표이고,
그림만큼 중요한 것이 여백이다.
쉼의 가치가 회복되는 교육,
아름다움의 가치가 회복되는 교육을 해야 한다.
쉼을 얻을 때 아이들의 은사도 계발될 수 있다.

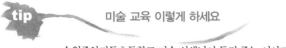

1. 먼저 그림을 따라 그리게 하세요

창조하신 자연을 유심히 관찰하면 하나님을 만날 수 있는 것처럼, 미술 교육의 첫 단계는 만들기 전에 먼저 관찰하게 해야 한다. 봤던 것을 자기 손으로 그리면서 그 관찰을 통해 창조의 원리를 발견할 수 있기 때문이다.

2. 제한을 주세요.

미술 교육을 할 때 보통 "자유롭게 맘껏 그려 봐."하고 이야기한다. 하지만 질서 없는 자유는 혼동밖에 되지 않는다. 질서 없는 교육은 기독교 교육이 아니다. "오늘은 물감에 물을 섞지 마." 이처럼 그림을 시작하기 전에 경계선을 지어 줘야 한다.

3. 과정에 목표를 두세요.

하지만 진정한 미술 교육은 결과가 아닌 과정에 있다. 미술 교육에서 중요한 것은 하나님이 만드신 형상을 보면서 기쁨을 느낄 수 있도록 하는 것이다. 완성되지 않은 그림이라도 "이만큼 했구나."하고 말해 주자. 아이는 분명 과정에서 하나님의 창의성을 체험했을 것이기 때문이다. 그 기쁨을 느끼도록 하는 것이 기독교 교육이다.

4. "선이 용감하구나" 하고 과정에 대해 칭찬해 주세요.

칭찬해 줄 때는 작품에 대해서가 아니라 "선들이 잘 연결되어 있구나. 선이 살아 있는 것 같아. 선을 용감하게 그렸구나"하고 과정에 대해서 칭찬해야 한다. 그런데 칭찬한다면서 "되게 잘 그렸다! 그런데 이게 뭐 그린 거야?"하고 물어봐서는 안 된다. 아이는 엄마가 이렇게 물어보는 순간 자신이 잘못 그렸다고 생각하기 때문이다.

5. 아이가 그림 그릴 때 도와주지 마세요.

어른들이 아이의 그림에 손을 대는 순간 자신이 그림을 못 그린다는 좌절감을 느낀다. 이것은 아이에게 장애를 만드는 일이다. 초등학교 1학년이면 자신이 그림을 잘 그리는지도 못 그리는지도 모르는 게 정상이다. 아이들한테 필요한 것은 자신감이다.

6. 색칠하는 책 주지 마세요.

어릴수록 아이한테 절대 색칠 책은 주지 말아야 한다. 선 안에 정답의 색을 채워 넣어야 한다는 고정 관념이 자리잡기 때문이다. 이건 교회는 빠지지 말아야 해, 새벽기도는 꼭 나가야 해 하는 신앙의 율법만을 강요하는 것과 꼭 같다.

7. 동화를 들려주고 그림 그리기를 시키세요.

동화를 들려주고 동화의 내용을 그림으로 그리게 하자. 아이들이 무척 좋아한다. 아이들의 상상력을 키우고 그리기에 대한 두려움을 없애는 데 좋은 역할을 할 것이다.

8. 아이들의 작품들을 전시해 주세요.

우리가 무엇을 만들고 난 다음에 나뿐 아니라 다른 사람들도 보고 즐거워하는 모습을 보면, 그 기쁨이 하나님에 대한 경배로 이어지기 쉽다. 아이가 전시하고 싶은 그림을 전시해 주자. 방안이나 거실에라도.

9. 아름다움을 가르쳐 주세요.

미술 교육을 할 때에는 그림 그리는 스킬을 가르쳐 주는 것만 아니라 그 그림이 나오기까지의 배경과 그 그림이 수행한 문화적 역할을 가르쳐 주어야 한다.

10. 하나님을 알고 있는 부모는 가장 좋은 기독교 미술 교사예요.

가장 좋은 교육은 말씀의 힘으로 애들에게 참된 그리스도인의 삶의 모습을 보여 주는 것이다. 부모만큼 좋은 선생은 없다. 자녀만큼 좋은 교사는 없다. 무조건 학원에 보내지 말라. 아이가 하나님의 창조 원리를 발견하며 기뻐하는 모습을 놓치지 말라. 그 모습을 보며 부모도 기쁨을 배우라.

식성은 어디에서 형성이 될까? 학교? 아니면 군대? 물론 군대에 가면 평소에 못 먹던 것도 먹는다고들 한다. 하지만 제대를 하면 예전의 식성으로 돌아오는 경우가 많다. 식성이 형성되는 것은 가정이다. 그럼 목소리나 억양이나 발음은 어디에서 형성될까? 생활 습관이 형성되는 곳은? 역시 가정이다.

가정은 모델링이 이루어지는 곳이다. 가정은 1차적 관계로 이루어진 곳이다. 1차적 관계는 핏줄과 결혼으로 이루어진다. 생활 공간을 공유하며 감정이 중심이 되는 관계이다. 반면에 2차적 관계는 일, 성과 중심, 목표 중심이 된다. 학교나 직장이나 군대는 2차적 관계로 이루어진 곳이다.

가정은 무엇이 최우선인가. 가정의 목표는 관계 유지와 관계 생성이다. 관계가 사라지면 가정은 끝장난다. 가정의 목표는 관계이다. 돈 주고 집은 사도 가정은 살 수 없다. 돈 주고 반지는 사도 헌신은 살 수 없다. 관계가 없는 가정은 더 이상 가정이 아니다. 가정은 자녀를 원한다. 가정은 출생과 성장의 보금자리다. 올바른 가치관과 생활 습관의 형성지가 되어야 한다.

하나님은 부모를 교사로 부르셨다. 옛날에는 자녀를 사육하는 부모들이 있었다. 잘 먹이고 잘 입히면 그만이라고 생각했다. 하지만 현대화될수록 부모는 자녀를 '교육' 시키려 한다. 이제 좋은 학교, 좋은 학원 보내는 걸 부모의 역할이라고 생각한다.

하지만 한발 더 나가보자. 하나님은 분명히 말씀하신다. 아비들아 자녀를 노엽게 하지 말고 주의 교양과 훈계로 양육하라(에베소서 6:4) 부모는 영적으로 양육하는 교사가 되어야 한다. 하나님은 부모에게 자녀의 영적 양육을 부탁하신 것이다.

집에서 양육의 역할을 등한시하고, 돈이나 벌어다 주면 그만인 것으로 생각하는 아버지처럼, 교회에 헌금하고 자녀의 영적 양육은 주일학교 선생님들에게 요구하고 있는 것은 아닌지. 하나님은 자녀의 영적 상태에 대한 책임을 주일학교 선생님들에게 묻지 않으신다. "너의 자녀를 내가 분부한 대로 예수를 닮은 모습으로 양육하였느냐?" 부모에게 물으신다.

이것이 하나님이 부모에게 주신 책임이다. 가정에서 영성으로 가르치는 것은 기독교 교육의 가장 중요한 철학이다.

1. 가정이 교육의 출발이다

남동생이 목사 안수를 받고
목회학 박사 학위를 받았을 때
우리 가족들이 다 모였다.

나는 그 모습을 보면서 축복이란 생각이 들었다.
'이것이야말로 영적인 양육을 하는 가정이구나.'
우리 가족이 잘났거나 유명하다고 자랑하는 것이 아니다.
영적 양육은 반드시 축복이 있다는 것을 간증하는 것이다.

부모는 자격증이 없다.
근무 시간이 정해져 있는 것도 아니다.
밤샘 근무를 했다고 해서
보너스가 지급되는 것도 아니다.
부모는 끊을 수 없는 소명이다.
아무리 원해도 부모가 되지 못하는 사람들이 많다.
자녀는 하나님의 특별한 선물이다.
부모는 하나님의 부르심이다.

미국은 크리스마스 휴가가 보통 2, 3주가 된다.

그때는 사람들 모두가 가족과 함께 시간을 보낸다.

미국 유학생들은 그 무렵이 제일 외롭다.
놀아 줄 사람도 없고 놀러 갈 데도 없다.
한국에 나가기에는 기간이 너무 짧다. 또 돈도 없다.
나도 그때가 제일 외로웠다.

그런데 남동생이 미국 고등학교에 입학하면서 상황이 달라졌다.
크리스마스 기간에 부모님이 미국으로 건너오셨던 것이다.
자녀들과 함께 크리스마스 연휴를 보내기 위해서였다.
그해뿐만이 아니었다. 무려 5년 동안이나 그렇게 하셨다.

연휴 때 부모님과 함께한 일이라곤 거창하지 않았다.
아버지한테 용돈을 받고 식사한 게 전부였다.
아버지는 휴가 기간 동안 특별한 말씀도 하지 않으셨다.
하지만 우리는 아버지가 큰 교회의 목회자 자리보다
우리 가정을 더 소중하게 여기신다는 메시지를 가슴으로 받았다.

사실 그때 우리 3남매는 잘 이해가 가지 않았다.
우리 3남매는 크리스마스와 연말연시가
아버지가 가장 바쁜 때라는 것을 누구보다 잘 알고 있었다.
그런데 부모님은 어떻게 그런 결정을 하실 수 있었을까.

나중에 교회 중직들이 아버지께 이의를 제기하기도 했다고 들었다.
그때 아버지는 이렇게 말씀하셨다고 한다.

"교회가 잘못되면 다른 목회자를 구하면 되지만,
내 자녀들이 잘못되면 아무도 책임져 줄 사람이 없소."

지금 생각해 봐도
아버지의 결정이 올바른 것이었는지는 나도 쉽게 대답할 수 없다.
하지만 아버지의 가정에 대한 우선순위가 오늘의 나를 만들었다.

가정에서 아버지의 역할이 중요하다는 것을 알았다면,
아버지의 자리가 1차적인 하나님의 사역임을 알았다면,
가정을 세우기 위해서 다른 것은 거절할 줄 알아야 한다.

다른 가치를 희생해야 한다.
다른 것을 잘라 버리고 절제해야 한다.
하나님이 맡겨 주신 책무를 기쁨으로 할 수 있어야 한다.
그래야 믿음의 가정이 올바로 세워진다.

나는 선교지에서라도 가정이 우선되어야 한다고 생각한다.
그것이 하나님이 부모에게 요구하는 것이기 때문이다.

믿음으로 이삭은 장차 오는 일에 대하여 야곱과 에서에게 축복하였으며 믿음으로 야곱은 죽을 때에 요셉의 각 아들에게 축복하고 그 지팡이 머리에 의지하여 경배하였으며 믿음으로 요셉은 임종 시에 이스라엘 자손들의 떠날 것을 말하고 또 자기 해골을 위하여 명하였으며 (히브리서 11:20-22)

믿음의 모델들을 골라서 딱 한 구절씩을 썼다.
요셉의 삶을 쓰기로 작정한다면 쓸 것이 얼마나 많은가.
꿈꾼 이야기도 있고, 애굽의 국무총리가 된 이야기도 있다.
그런데 성경에는 그의 가정을 기록했다.

남들이 볼 때는
내가 수원중앙기독초등학교의 교목 직분과 원천교회 목사,
교포 청소년들과 MK사역을 위해 일하는 것이 커 보여도,
하나님의 가치관 속에서는 가정의 작은 일이 그것보다 더 크다.

내 이름이 기록될 때 세계에서 제일 큰 교회를 세웠다는 것보다
요셉과 같이 기록되기를 원한다.
"믿음으로 요셉은 아론에게 축복해 주었고." (내 큰아들 이름이 아론이다.)
우리 아버지가 내게 해 주셨던 것처럼.

1. 정기적인 가족 시간을 가진다

그 시간에 가정 예배를 드리라는 것이 아니다. 그 시간에 송편을 만들어도 좋고 가족놀이를 해도 좋다. 정기적으로 가족이 다 함께 공유하는 시간을 마련한다는 것이 중요하다. 우리 가족끼리만의 시간이다. 우리들만의 시간이다. 그리고 그 시간에 우리 가족은 한 사람, 예수님이 더 있다는 것을 심어 주는 것이다.

2. 가정의 주기를 교회 절기에 맞춘다

설날과 추석, 그때는 온 가족이 모여서 명절을 정성껏 준비한다. 반면에 부활절은 어떠한가. "여보, 오늘 부활절이야. 헌금 봉투 어디 갔어. 지난주에 안 가져 왔네. 당신이 안 챙겼어? 아휴 어떡해. 교회 가서 해야겠네." 대부분 부활절을 이렇게 맞고 있지는 않은지. 이런 가정과 사순절부터 일주일에 한번씩 초를 켜며 부활절을 기리는 가정의 자녀의 앞으로 어떻게 다르게 자라날 것으로 생각되는가.

나는 크리스마스가 되면 흥분을 감출 수가 없다. 어린 시절, 추수감사절이 끝나면 어머니는 크리스마스트리를 올리셨다. 그리고 해마다 손수 만드시고 준비하신 장식물을 걸어 놓으신다. 그러면 나는 벌써 가슴이 두근두근 뛴다. 시간이 지날수록 크리스마스트리 밑에는 선물이 한두 개씩 쌓인다. 나는 날마다 내 이름에 쓰여져 있는 선물이 몇 개인가 세어 본다. 크리스마스가 바로 코앞으로 다가오면 내 선물은 적어도 5개, 많을 때는 15개나 쌓여 있을 때도 있었다. 내가 날마다 손꼽아 크리스마스를 기다렸던 것은 선물 때문만은 아니다. 어머니가 크리스마스 4주 전부터 들려주는 마리아와 요셉과 동방박사들의 이야기 때문이다. 이렇게 온 가족이 크리스마스를 기다리면서, 이 땅에 예수님이 오시기를 정말 고대했다. 그리고 예수님이 오신 것을 참으로 기뻐하게 됐다. 이것은 미국인 엄마가 아들을 위해서 마련한 이벤트가 아니었다. 성탄절은 이렇게 오랜 준비와 기다림 속에서 맞이하는 것이다.

가정의 절기를 부활절, 추수감사절, 크리스마스에 맞추라. 설날과 추석을 준비하는 만큼이나 크리스마스를 온 가족이 함께 준비하라. 이를 가정의 전통으로 만들라.

3. 예배를 축제로 승화시켜라

예배는 거룩한 게 아니다. 예배는 축제다. 예배란 묵도하고 사도신경 외우고 말씀 나누고 헌금을 하는 형식이 아니다. 예배는 예수님의 존재를 인정하는 것이다. 자녀의 생일 때 예배를 드리는 가정이 신앙 교육을 잘 시키는 가정이 아니다. 자녀의 생일 때 예배를 드리지 않아도 좋다. 자녀가 생일을 통해서 하나님의 존재를 인정하도록 유도해 주면 부모로서의 임무는 끝난다.

생일 케이크의 촛불을 끄기 전에 자녀에게 질문하라.

"하나님께 감사한 것 세 가지만 말해 볼래."

4. 식사를 예배로 기념하라

이스라엘의 대표적인 절기 중의 하나인 유월절은 이스라엘 백성이 출애굽하기 직전에 무교병과 양고기를 먹으며 하나님이 이스라엘 백성을 구원하신 것을 기념하는 절기이다. 이스라엘 백성들은 지금도 유월절이 되면 무교병과 양고기를 먹으며 하나님이 이스라엘 백성들을 구원하신 것을 기억한다. 하지만 이것은 절기에만 국한되는 것이 아니다. 우리는 날마다 식사할 때 하나님을 기억해야 한다. 식사 시간이 예배가 된다면 그것만큼 확실한 신앙 교육이 없을 것이다. 자녀들과 식사를 할 때 반드시 하나님을 기억하는 식사가 되도록 하라.

5. 하루에 한 번 자녀를 축복하라

아버지는 무서운 분이었지만, 아버지는 집에 계신 날은 하루도 빠짐없이 이마에 손을 얹고 기도를 해 주셨다. 아버지는 축복의 가치를 알았다.

하나님은 가정의 제사장인 아버지에게 자녀 축복권을 이미 주셨다. 그것을 사용하고 사용하지 않고는 당신의 선택이다. "아빠, 나 좀 봐! 엄마, 나 좀 봐!"아이들은 부모의 축복을 원한다. 부모의 인정을 받고 싶어서 자녀는 공부도 하고 밥도 먹는 것이다.

예배는 축복이다. 예배에서 제일 마지막에 하는 것이 바로 축복 기도다. 우리는 하나님께 축복을 받고 하나님께 영광을 돌려 드린다. 경배는 축복하는 삶이다.

축복은 표현되어야 한다. 야곱은 12명의 아들을 축복할 때 각각의 특징에 맞게 축복했다. 게다가 그 축복문은 4백-5백 년이나 지나서 모세가 창세기에 기록할 수 있을 만큼 자손들에게 잘 전수되었음을 알 수 있다. 이처럼 축복은 의도하고 연구하고 계획하지 않으면 일어날 수 없다. 가계에 흐르는 저주는 끊어야겠지만, 가계에 흐르는 축복도 끊지 말라. 자녀에게 능동적으로 표현하라.

벌써 10년 전 아이들이 태어날 때마다 특별한 액자를 하나씩 만들었다. 아이들 사진 밑에 우리 부부의 축복기도문을 적어 놓은 액자이다. 그 기도문은 밤마다 아이들을 품고 기도했던 것이다. 아이들은 거실을 지날 때면 그 액자를 유심히 살펴보곤 한다. 우리 부부는 완전한 부부가 아니다. 하지만 아브라함이 죽을 때 이삭에게 축복한 것처럼, 그 축복의 흔적들을 나는 아이들에게 남겨 주고 싶다. 나는 축복의 가정을 꿈꾸기 때문이다. 인생의 막판에 남겨 줄 수 있는 것은 건물이나 돈이나 직책이 아니라 다음 세대에게 축복해 주는 것이다. 믿음은 세대 간의 축복으로 보전된다.

자녀를 축복할 때 한 가지 주의해야 할 것은 하나님이 원하시는 축복을 자녀에게 축복해야 한다는 것이다. 예를 들면 하나님의 거룩함을 하루 속히 닮아라와 같은.

2. 자녀를 하나님께 바치라

하나님은 부모에게 귀한 자녀를 주셨다.
때로 우리는 너무나 완벽한 자녀들을
원할 때가 있다.
하지만 나의 기대치에 부흥하는 것이
축복은 아니다.

아브라함과 사라에게 하나님은 변화구를 던지셨다.
첫 번째 변화구는 약속을 더디게 이루셨다는 것이다.
하나님은 아브라함과 사라에게 아들을 주시겠다고 하셨지만,
1년이 지나도 2년이 지나도 자녀가 생기지 않았다.
인간적 생각에서 의구심이 나지 않겠는가.

그래서 사라는 머리를 썼다.
하녀 하갈을 통해서 이스마엘을 낳는 것.
그렇게 해서라도 하나님을 돕겠다고 스스로 나선 것이다.
결과는 가정 불화였다.
사라와 아브라함의 신뢰 관계는 깨졌다.

아브라함과 사라는 우리와 너무 비슷하다.

우리도 원하는 것이 이루어지지 않을 것 같을 때가 있다.
하지만 하나님이 약속하신 것은 반드시 이루심을 믿고 기다리는 것,
이것이 믿음의 선택이다.

하나님은 두 번째 변화구를 이삭이 13세가 되었을 때 던지셨다.
이삭을 돌려 달라고 하신 것이다.
내가 아브라함이라면 뭐라고 말했을까.

"하나님, 약속하신 아들이고, 하나밖에 없는 아들입니다.
이 아들을 통해서 씨앗을 준다고 하셨잖아요.
입장 바꿔 생각해 보십시오. 차라리 주시지나 말지.
그리고 성경에 살인하지 말라고 쓰셨잖아요.
그런데 왜 죽이라고 하세요?
왜 바쳐야 하는지 이유나 알자고요? 왜 바치라는 거예요?
차라리 둘 다 죽이세요. 절대 안 돼요."
나는 아마 이렇게 말했을 것이다.

우리가 볼 때 하나님은 가끔 이렇게 '성격이 특이하실' 때가 있다.
이치에 맞지 않는 사건들이 틀림없이 일어난다.

많은 사람들은 그때, 믿음을 저버린다.
그렇지만 하나님은 분명히 말씀하셨다.
"내 생각은 네 생각과 다르다"고.

아브라함은 하나님을 이해할 수 없었다.
하지만 아브라함은 하나님 말씀에 순종했다.
아침 일찍 일어나 이삭을 데리고 하나님이 말씀하신 곳으로 떠났다.
나 같았으면 평소 아들이 좋아하던 음식도 잔뜩 먹이고
아들과 조금이라도 더 있으려고 갖은 꾀를 다 쓰면서
오후에 아주 늦게, 늦게 출발했을 것이다.

그런데 아브라함은 즉각적으로 순종했다.
아브라함은 하나님을 전폭적으로 신뢰했다.
그는 결국 아들을 바쳤다.

그때 기대하지 않았던 축복을 체험했다.
그 축복은 다른 게 아니었다.
바로 하나님에 대한 믿음의 시각을 갖게 된 것이다.

하나님은 아브라함을 약 올리려고 일을 꾸미신 게 아니다.
하나님은 아브라함을 통해 독생자를 보내실 것을 예표하셨다.
이스라엘을 구하기 위해
민족의 원조가 되는 이삭을 바치라고 하신 것이다.

하나님은 구원사의 상징이 필요했던 것이다.
아브라함은 지금 우리에게까지 '믿음' 을 보여 주고 있다.
구원을 이루게 한 믿음의 순종으로 말이다.

한국적 정서 속에서 자식은 아버지의 소유다.
하지만 하나님은 자녀가 당신의 것이라고 말씀하신다.
자녀를 하나님께 다시 바치라고 말씀하신다.
내게 다시 바치면 다시 돌려받는다고 말씀하신다.

어머니가 임신을 한다.
아이를 고대하던 어머니들도 임신을 하는 순간 후회한다.
사실 태아는 나를 돕는 세포가 아니라
나의 영양분을 빼앗아 가는 이물질이기 때문이다.

아기 때문에 모든 것이 달라진다.

입덧을 하고 식성이 변하며 신체가 변한다.

그러다 몇 개월이 지나면 오히려 안정감을 느낀다.

내 안에 생명체가 있다는 사실에 정이 드는 모양이다.

어머니는 임신 9개월 동안 태아를 밖으로 내보낼 준비를 한다.

내보내기 위해서 희생한다.

자기 머리카락이 다 빠져 가면서, 몸의 형태가 찌그러지면서….

아기는 처음에 어머니의 몸 안에 있다.

그 다음에는 집안에 있다.

어머니의 모든 스케줄은 아기에게 맞춰진다.

하지만 결국 자녀는 가정을 이루어 부모 곁을 떠나간다.

하지만 많은 부모가 자녀를 떠나보내지 못한다.

결혼 상담을 해 보면, 대부분의 문제는 여기에서 출발한다.

부모가 자녀를 하나님께 드리지 못한 것이다.

이것은 끔찍한 형국이다.

아기를 낳았지만 탯줄은 끊지 못하고 있는 것이다.

아버지는 강한 사람이었다.

아버지는 자신의 말에 절대적으로 순종하는 자녀를 만들려고

무던히도 노력했던 분이다.

하지만 아버지의 그 노력은 물거품이 되고 말았다.

내가 미국에서 공부를 끝내고

한국에 돌아왔을 때 나는 아버지를 더 이상 존경하지 않고 있었다.

나는 머리가 커서 나름대로 이상을 가지고 돌아왔는데,

나의 이상과는 너무나 다른 아버지가 싫었던 것이다.

아버지가 비판적으로 보이기 시작했다.

"아버지, 왜 학교를 그렇게 운영해야 한다고 생각하시죠?

왜 그렇게 하는 것만이 정답이라고 생각하시죠?

저는 그렇게 생각하지 않습니다.

그건 아버지 생각일 뿐이에요. 저한테 강요하지 마십시오."

"너 이 자식 어디서…."

한 번 발동이 걸리면 새벽 세 시가 넘도록 따지고 덤볐다.

아내가 무서워서 다른 집으로 피할 정도로 무섭게 싸웠다.

내가 부모를 떠나 아내와 한 몸을 이룬 줄 알았다.

하지만 그것은 아버지와 나의 착각이었을 뿐이다.

나도, 아버지도, 서로의 바지끈을 너무나 끈질기게 잡고 있었다.

나는 아버지의 말에 절대적으로 순종하지 않았다.

아니 순종할 필요가 없었다.

아버지는 그제껏 나를 힘으로 제압해 왔지만,

이제 나는 혁대에 맞고 질질 울 나이는 지났으니까.

내게도 힘이 생겼으니까.

아버지와 나의 관계가 악화되기 시작했다.

아버지도 나도 힘들었다. 그렇게 싸우면서 4년의 시간이 흘렀다.

그새 학교가 다 지어져서,

부모님과 우리 가족은 학교 사택으로 이사를 왔다.

어느 날, 새벽 2시에 잠이 깨었다.

요전날도 아버지와 많이 싸웠던 나는 기분이 좋지 않았다.

그때 하나님은 내게 말씀을 주셨다.

하늘이 땅보다 높음같이 내 길은 너희 길보다 높으며, 내 생각은 너희 생각보다

높으니라(이사야 59:9)

'그래, 아버지와 나는 생각이 다르지. 아버지는 성미가 급해. 파쇼야.'

잠이 오지 않아 성경책을 폈는데 성경도 읽어지지 않았다.
그러다가 우연히 벽시계를 보았다.
초바늘이 돌아가고, 분바늘이 돌아가고, 시바늘이 돌아가는 시계….

그 세 개의 바늘이 우리 가족의 세 남자로 보이기 시작했다.
성미 급한 초바늘은 아버지,
너무 빠르지도 너무 느리지도 않은 속도가 적당한 분바늘은 나,
느려터진 시바늘은 남동생!(지금 생각해 보면 꼭 큰아들 아론이다.)

우리 아버지가 성미가 얼마나 급한지는 함께 여행을 해 보면 안다.
아버지는 뭐든지 빨라야 한다.
어떤 약속에도 절대로 아버지보다 먼저 오는 사람이 없다.
'어제는 아버지가 약속 시간 30분 전에 오셨으니까,
오늘은 40분 전에 가면 아버지보다 먼저 도착하겠지.'
딴에는 머리를 굴려서 약속 장소에 가 보면,
아버지는 50분 전에 도착해 있는 양반이다.
기를 쓰고 악을 쓰고 아버지보다 빨리 가려 해도 절대 이길 수 없다.

그런데 남동생은 그렇게 느릴 수가 없다.
그래서 대전에서 사역을 잘하고 있는지도 모르겠다.
암만 생각해도 내 속도가 딱 알맞은 것 같다.
차지도 않고 덥지도 않은 나의 위험한 속도가.

그 시계 바늘을 통해서 하나님은 내게 말씀하셨다.
"요셉아, 너랑 네 아버지랑, 네 남동생은 같지 않아.
네 아버지는 얼마나 급한지 하루에 몇 바퀴 도는지 셀 수도 없어.
네 남동생은 시바늘이야. 얼마나 느린지 하루에 두 번밖에 돌지 않아.
하지만 요셉아 내가 그들을 다 창조했어."

감사했다.
성령님의 힘으로 이 서로 다른 셋을 하나로 묶어 주신 하나님…
하나님이 감아 주신 각자의 창조의 태엽 속에서
부모와 그 자녀가 하나님이 원하시는 같은 방향으로 가고 있다는 것이.

가장 먼저 도착한 바늘이 다른 바늘들을 기다렸다가
밤 12시가 되면 원점에서 새롭게 다시 시작하는 시계처럼,
관계가 잘못되었다 하더라도 성령님의 도우심으로

서로 용납하고 기다려 주고 사랑할 수 있다는 것이.

그때야 나는 아버지의 혁대가 무서워서가 아니라,
아버지의 강력한 힘 때문에가 아니라,
아브라함이 이삭을 바친 믿음처럼, 하나님을 신뢰하는 믿음 때문에
아버지께 진심으로 순종할 수 있게 되었다.

나는 아브라함과 이삭의 관계도 원만하지 않았을 것이라고 생각한
다. 아브라함이 하나님을 신뢰했던 그 믿음 때문에
그들의 관계는 늘 원점으로 돌아갈 수 있었으리라 생각한다.

지금 가정의 시간은 몇 시인가.
혹시 시간이 어긋나 있는 것은 아닌지,
온전한 가정을 이루지 못하고 있는 것은 아닌지.
그렇다면 하나님이 당신을 부르신 믿음의 자리로 돌아오라.
하나님이 가르쳐 주신 원점에서 시작할 때
하나님이 원하시는 때에 시작할 수 있을 것이다.

아기가 내 몸 안에, 우리 집 안에 들어온 이유는

떠나기 위해서이다.

아이가 들어서는 순간 기도해야 한다.

아이들이 잘 떠나가게 해 달라고.

그것을 내려놓지 못하기에,

자녀를 하나님께 다시 드리지 못했기에

너무나 많은 가정이

믿음의 가정이 아니라 욕심의 가정이 되고 있다.

헌아는 요식 행위가 아니다.

우리 자녀가 하나님의 자녀라는 것을 기억하는 행위다.

믿음의 가정이라면, 자녀를 하나님께 바쳐야 한다.

그렇게 바칠 때 기대치 않은 축복이 일어난다.

하나님이 제공해 주시는 '양'을 만날 수 있다.

욕심을 버렸을 때만 하나님의 축복의 손길을 경험할 수 있다.

그래서 부모는

밤마다 자녀의 머리에 손을 얹고 기도해야 한다.

"이 아이를 하나님께 바칠 수 있게 해 주시옵소서."

3. 살아 있는 신앙교육을 하라

나는 이런 설교를 감동적으로
들은 적이 있다.

예수는 그 지혜와 그 키가 자라 가며 하나님과
사람에게 더 사랑스러워 가시더라(누가복음 2:52)

이 말씀을 보라. 예수님도 4가지 영역에서 자라나셨다.
키는 신체적, 지혜는 인지적,
사람은 사회적, 하나님은 영적을 말한다.

성경적 근거도 있고 아주 그럴듯하다.
하지만 이러한 주장의 문제점은 영역화되어 있다는 것이다.

이러한 생각을 가진 사람들의 교육 논리는 이렇다.
"얘, 너 고3이니까 잠깐 교회 접어.
하나님도 너 서울대 가면 좋아하시니까, 일단 합격하고 봐야 해.
하나님도 그때까지는 봐 주실 거야."

"모든 진리는 하나님의 진리다!"라는 것을 안다면
이분법을 깨뜨려야 한다.

사람을 학문적으로 나눌 수는 있다.

신체적인 모습, 인지적인 모습, 감정적인 모습, 도덕적인 모습.

문제는 영성은 어디 있는가 하는 것이다.

손바닥을 보자.

사람을 다섯 가지 영역으로 나눌 수 있다.

도덕적, 사회적, 신체적, 정서적, 인지적 영역이다.

5가지 영역은 모두 측정 가능하다.

인지 능력(IQ)으로, 감정 지수로 키로 몸무게로….

그런데 영성은 측정할 수 없다.

영성은 이 다섯 가지 영역의 뿌리이기 때문이다.

처음 우리 학교에 오시는 분들은 모두 깜짝 놀란다.

"예배실이 없단 말입니까?"

내가 그렇다고 하면 다들 입을 다물 줄 모른다.

"그럼, 어디서 예배를 드려요?"

"체육관에서요!"

"네? 농구 코트가 있는 체육관에서요? 그럼 소그룹 모임은요?"

"교실에서요. 여길 보세요!"

그러면서 나는 교실 벽 한쪽에 붙은 유인물을 가리킨다.

소그룹 모임이 끝나고 책상 정리를 당부하는 글이다.

그래도 고개를 갸우뚱하는 사람들도 많다.

아마도 속으로는 이런 생각을 할지 모르겠다.

'이렇게 어수선한 체육관에서 드리는 예배가 과연 은혜로울까?'

'학교가 개방되면 정리가 안 된다든지 문제가 많을 텐데?'

이러한 질문은 한국 크리스천들의

숨은 생각을 잘 보여 준다.

바로 신앙의 영역화.

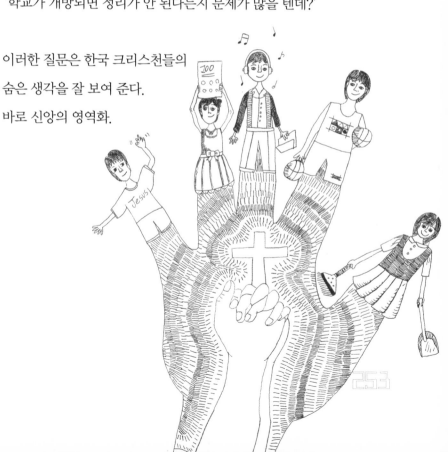

이것의 뿌리는 이원론적 신앙관이다(Dicatomy).

거룩(sacred)과 세속(secular).

우리 신앙 안에 이 둘에 대한 구분이 크다.

주일 성수는 뭘까.

말을 풀면 주일을 거룩하게 지키라는 것이다.

이 용어 자체가 문제가 아니다.
거룩과 세속을 무 자르듯 구분해 놓는 것이 문제다.
이원론적 사람들은 누드를 보면 더럽다고 생각할 것이다.
그런데 클래식한 미술 작품들은 다 누드이다.
한국 문화에서 이원론적 사고의 지배는 부인할 수 없다.

그래서 예배당 문화가 강하다.
강대상을 절대 옮기지 못하게 하는 교회도 많다.
강대상에 신발 신고 올라가지 못하게 하기도 한다.
강대상은 거룩하기 때문이다.
하지만 교회 식탁을 옮긴다고 뭐라 하지는 않는다.
식탁은 거룩하지 않다고 생각하기 때문이다.
그런데 정말 그럴까?

이렇게 신앙이 영역화되면 문제는 금세 드러난다.
주일은 거룩하게 지킨다.
하지만 거룩하지 않은 월요일에는 어떤가?

사무실에 앉아서 탈세를 아무렇지도 않게 하기도 한다.
이것이 과연 비약일까.
결국 이원론적 신앙은 삶에 파고들어갈 힘이 없다.

학교와 교회 건물을 함께 쓰기로 한 것은 이런 이유에서였다.
삶과 신앙을, 거룩과 세속을 구분하고 싶지 않았다.

교회에서는 창조론을, 학교에서는 진화론을 배우는 아이들이
나중에 주일학교에서 배운 복음을 어떻게 여길까?
단순히 어른들의 말장난이나 신화 정도로 여길 것이다.
기독교는 진리가 아니라 하나의 종교로 생각하게 될 것이다.

모든 진리는 하나님의 진리라는 기독교의 세계관,
그 세계관을 우리의 아이들에게 심어 주어야 한다.
이것이야말로 기독교 교육의 핵심이다.
어른들부터 거룩과 세속을 구분하는 악습에서 벗어나야 한다.
컵에 담기면 물이고 대야에 담기면 물이 아닌 게 아니듯,
신앙과 그 신앙에 근거한 교육은 연속선상에 있다.

4. 신앙의 갈등을 충분히 겪게 하라

"왜 한 알의 밀알이 땅에 떨어져 죽어야만 많은 열매를 맺을까요?"

"왜 생명을 버리면 생명을 얻을 수 있을까요?"

"우리 학교 최 선생님은 왜 34살에 뇌종양으로 돌아가셨을까요?"

"성부, 성자, 성령? 셋이면서 하나라고?"

아이들은 자라면서 하나님과의 관계에 대해서 질문하기 시작한다.

이것도 어쩌면 패러독스다.

이것을 빨리 받아들이기는 쉽지 않다.

피조물이 창조주를 체험하는 데 있어 패러독스는 필연적이다.

우리는 이해할 수 있고 설명할 수 있는 박스 안에

하나님을 넣고 싶어하는 경향이 있기 때문이다.

도덕적 교훈대로, 이미 알고 있는 정답대로 살아가도록

기독교는 사람을 로봇과 같은 존재로 만들기 쉽다.

"삼위일체가 뭐야?"

아이들이 물었을 때 어떻게 말해야 할까.

"물이 수증기(기체)도 되고, 얼음(고체)도 되는 것처럼,

형체는 다르지만 하나라는 거야."

"나는 너희들의 아빠지만, 엄마의 남편이기도 하고,

학교 선생님이기도 하잖아. 이렇게 하나지만 역할이 다르잖아."

하지만 두 가지 다 삼위일체의 올바른 설명은 아니다.

많은 사람들이 복음을 세상의 이치로 설명하려고 한다.

궁금한 것들을 풀기 위해서 어느 정도 노력해 보는 것도 좋다.

하지만 아무리 이치를 따져 본다 하더라도

예수님을 믿는 데 똑 떨어지는 만족스러운 설명을 얻기는 어렵다.

언제나 하나님의 패러독스와 직면하게 된다.

언제나 합리적으로 수용하지 못한 부분이 불씨처럼 남는다.

설명은 달콤하다. 속 시원하다.

하지만 하나님은 내 생각은 너희 생각보다 높으니라(이사야 55:9)라고 하셨다.

타락한 인간의 인지로는 수용하지 못할 하나님의 인지가 있다.

하나님은 나보다 더 크시다.

설명할 수 없어서 속 시원하지는 않을지도 모른다.
하지만 숯불처럼 가슴을 태우는 아픔이 있을지라도
그 불씨를 계속 붙잡고 나아가면 그것이 겸손이 된다.
겸손은 잘 모름을 고백하는 것이다.

그래서 패러독스에 직면했을 때는
오히려 아이들에게 솔직하게 고백하는 것이 낫다.
"애들아 나도 아직 잘 모르겠어. 나도 알고 싶어."

아이들의 신앙적 고민을 너무 쉽게 해결해 주면 안 된다.
질문을 무마시키지 말고, 다그치지 말아야 한다.
그러면서도 아이들 스스로 신앙 갈등을 겪도록 해야 한다.

아기는 공이 장롱 밑으로 들어가면 없어진 것으로 안다.
하지만 잠시 뒤에 아빠가 공을 꺼내 주면,
아이는 공이 안 보였던 것뿐이었음을 깨닫는다.
아기가 생각한 앎이 깨지는 것이다.
하나님을 알아가는 데도 균형의 깨짐이 필요하다.
피조물이기에 우리는 제한되어 있다.

피조물로서 창조주 하나님을 다 이해하고 알 수는 없다.

믿음은 맹목적인 것이 아니다.
믿음은 갈등을 계속해서 유지하는 것이다.
그 안에서 진리를 믿는 것이다.
진리를 의심하는 것도 믿음이다.
하나님이 없다고 믿는 것도 믿음이다.
믿음에도 스텝이 필요한 것이다.

질문을 김치처럼 익혀라.
하나님의 패러독스가 존재하는 것, 그것이 크리스천의 실존이다.
앎에 대한 작은 힘이 예수님을 영접하는 통로가 되었다면,
예수님을 깊이 묵상하면 묵상할수록 앎이 더 넓어질 것이다.

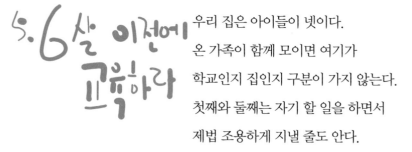

5·6살 이전에 교육하라

우리 집은 아이들이 넷이다.
온 가족이 함께 모이면 여기가
학교인지 집인지 구분이 가지 않는다.
첫째와 둘째는 자기 할 일을 하면서
제법 조용하게 지낼 줄도 안다.
하지만 셋째랑 넷째가 붙어 있으면 언제나 집은 북새통이다.

어느 날은 그 둘이 붙어 있는데도 너무 조용했다.
신경이 쓰여서 아이들을 찾아봤더니
둘이 함께 화장실에 있는 게 아닌가.
뭘 하는지 궁금했다.
'둘이 목욕을 하나? 아님, 혹시 같이 일을 보나?'

"이제 내가 성부와 성자와 성령의 이름으로 세례를 주노라…."

아이들은 일명 침례 놀이 중이었다.
셋째가 목사님을, 넷째가 성도 역할을 하고 있었다.
'누가 목사 아들 딸 아니랄까 봐!'
터지는 웃음을 가까스로 참고 거실로 나왔다.

아이들의 놀이는 아이들의 세계관을 반영한다.

얼마 전 유치원에서 고구마를 캐러 갔을 때 일이다.
"와, 지렁이다!"
"지렁이가 많아야 흙이 더 좋아져. 그러니까 밟으면 안돼."
"그래 맞아. 좀 징그럽게 보여도 하는 일이 다 있어."
아이들은 지렁이와 다른 벌레도 밟지 않으려고 깡충깡충 뛰었다.

이런 시각을 길러 주려면 부모와 교사의 역할이 중요하다.
어떤 창조물이든 자기 역할이 있고
저마다 충분히 사랑받을 존재임을 알려 주는 것,
그것이 기독교 교육이다.

유치원도 초등학교와 마찬가지로 큐티로 아침을 연다.
'아이들이 과연 큐티를 제대로 할 수 있을까?'
이렇게 생각하는 사람이 있을 수도 있다.
하지만 아이들은 어른들보다 더 순수하게 큐티를 한다.
큐티를 통해 하루하루 쌓인 말씀이
아이들의 대화 속에서, 생활 속에서 그대로 녹아 나온다.

아이들에게 숫자 1에 대해 가르칠 때의 일이다.
자신이 제일 좋아하는 '하나' 를 가져오라고 했더니
어떤 아이가 선생님에게 이렇게 말하더란다.

"세상에서 가장 중요한 것은 하나님, 그리고 엄마 아빠예요."

이것이 6세 꼬마 입에서 흘러나온 자연스런 신앙고백이다.
그 아이에게 중요한 것은 멋진 장난감이 아니었다.
바로 하나님이었다.

기독교 교육을 하면 할수록
더 어렸을 때부터 이런 교육이 필요하다는 생각을 한다.
지금 중앙유치원은 6, 7세만 받고 있는데
사실 세상의 풍속, 유혹, 죄악들을 접하기 전,
그러니까 3, 4세부터 하나님으로 물들여 주어야 한다.

"자기 마음을 제어하지 아니하는 자는 성벽이 무너지고"
중국이 만리장성을 세웠는데,
적국은 만리장성을 부수지도 않고 문으로 당당히 들어왔다.

어떻게 그럴 수 있었는가.

만리장성을 지키는 성문지기들이 뇌물을 받고 문을 열어 준 것이다.

만리장성을 세우는 데 많은 돈을 썼지만

성문지기들의 성품을 훈련시키는 데는 돈을 쓰지 않은 모양이다.

기독교 학교를 잘 지어 놓아도, 아이들을 죽어라고 가르쳐도,

아이들의 마음을 제대로 지키지 않으면

사탄이 행군하는 곳이 되지 않겠는가.

'하나님의 천지 창조와 인간의 타락, 예수 그리스도의 구속과 완성'

어려서부터 기독교 세계관을 심어 주라.

이러한 세계관이 아이들의 마음을 지켜 줄 것이다.

6. 자녀를 향한 계획을 갖고 있라

영어 교육 때문에 우리 학교를
선택하는 학부모가 많다.
아이들을 월드 크리스천으로
키우기 위한 원어민 영어 수업.
이런 학습 과정이 탐난다는 것이다.

영어는 더 이상 경쟁력이 아니라 필수품이 되어 버렸다.
영어 교육에 대한 학부모들의 마음을 모르는 바도 아니다.

영어 교육 시스템이 잘 갖추어졌다는 우리 학교에서도
해외로 조기 유학을 떠나는 아이들이 심심찮게 있다.
법적으로, 초등학교 6년생 미만의 아이는 혼자 외국에 나갈 수 없다.
그러니 아이를 조기 유학을 보내려면
이민이 아니고서야 가족이 떨어져 사는 방법밖에는 없는 것이다.

자녀가 함께 사는 것을 포기할 만큼 조기 유학이 꼭 필요한 걸까?
그래서 조기 유학을 상의하러 오는 학부형들에게 꼭 묻는다.
"그런데 왜 조기 유학을 결정하셨어요?"
"일단 영어 때문이죠 뭐. 아이가 가고 싶다고도 하고요."

스스로 확신할 수 없는 이런 결정을 하기까지 얼마나 당혹스러웠을까.
하지만 나 또한 이런 고백이 당혹스럽다.
'부모는 교육의 주권자' 라는 설명을 다시금 해야 하기 때문이다.

나는 혼혈아로서 한국인 초등학교에 다니는 것이 늘 힘들었다.
하루는 아버지가 나를 부르셨다.
"'요셉아, 너는 고등학교 때까지는 한국에서 학교를 다니고,
대학교 때부터는 미국에서 학교를 다닐 거야. 알았지?
너는 외국인처럼 생겼지만 네 속에는 한국피가 흐르고 있어.
한국인 교육을 받기 위해서야. 그렇게 알고 있으렴."

아버지의 그 말씀을 듣는 순간, 이상하게도 마음이 평온해졌다.
아버지가 나에 대해서 계획을 갖고 계시다는 것,
아버지가 내가 힘든 것을 몰라서 내버려 두는 것 아니라
분명한 계획에 의한 것이라는 사실에 힘이 난 것이다.

학부모는 아이에 대한 계획을 갖고 있어야 한다.
가족이 떨어져 사는 것을 감내할 만큼 분명한 이유도 없으면서
아이도 유학을 가고 싶다고 하니까 유학을 결정했다는 것은

말이 되지 않는다.
아이에게 어떤 교육을 시킬 것인지,
부모 스스로가 결정하고 판단하고 계획해야 한다.
학교도 교회도 그 역할을 대신할 수 없다.

내가 이렇게 조언을 하면 대부분은 이렇게 되묻는다.
"그런데, 그 계획이 아이한테 정말 좋은지 어떻게 확신하죠?"
물론 이런 지적은 맞는 말이다.
이제야 하는 말이지만, 나도 아버지의 결정이 정말 옳았는지 모른다.
'나 같은 혼혈아는 미국 땅에서 교육 받았으면 좋았을 걸.'
아직도 가끔은 이런 후회를 하기도 한다.

하지만 중요한 것은 판단의 옳고 그름이 아니다.
우리 부모님은 하나님께 나를 위탁받은 자로서
되는 대로, 그럭저럭 나를 키우신 것이 아니라
분명한 계획을 갖고 나를 훈련시키셨다는 것이다.
그리고 그것을 나에게 알려 주셨다는 것이다.

이것이 부모로서 교육의 주권을 회복하는 자세이다.

삶으로 가르치는 것만
남는다

틀려도 좋으니까 확신을 가지고 아이를 양육해야 한다.

부모는 아이들의 숙제 검사나 학원비를 담당하는 사람이 아니다.

부모는 아이를 통한 하나님의 계획을 실현시켜 드려야 할

책임을 맡은 자들이다.

요즘은 특별활동 선택도 아이들이 원하는 것을 시킨다.

하지만 그것은 성경적인 훈육의 방법이 아니다.

아이들의 선택권을 묵살하라는 것이 아니다.

부모의 권위를 회복하라는 것이다.

교육은 아이가 원하는 대로 이루어져야 하는 것이 아니다.

학교에서 편리한 대로 이루어져야 하는 것도 아니다.

부모가 자신의 자녀에 대한 교육의 주권을 회복해야 한다.

그때 교육은 변할 것이다.

내가 이렇게 말하면 대뜸 이렇게 질문하는 분들이 있다.

"병든 부모가 많다는 데 문제가 있지 않습니까!"

그래서 교회와 학교가 존재하는 것이다. 부모의 교육을 돕기 위해서.

가정은 교육하고, 교회와 학교는 가정의 교육을 위해서 기도하는 것,

그것이 우리가 회복해야 할 모델이다.

7. 훈육의 아픔을 철저히 견뎌라

훈육할 때 아이들은 부모를 이해할 수
없을지 모른다.
아이들의 눈총이 부모의 가슴에
못을 박을 수도 있다.
많은 부모들은 이러한 사실을
두려워하고 민감해한다.

인기 관리에 힘쓰는 정치인 같은
부모도 많다.

아이들이 자신에 대해 실망할까 봐
징계를 못하는 것이다.

참 사랑은 필링(feeling)이 아니다.
짜릿하고 부드러운 게 아니다.

하나님의 사랑은 훈육 속에서 나타난다.
이 사실을 우리는 자주 잊어버린다.

또 아들들에게 권하는 것같이 너희에게 권면하신 말씀을 잊었도다 일렀으되 내
아들아 주의 징계하심을 경히 여기지 말며 그에게 꾸지람을 받을 때에 낙심하지
말라 주께서 그 사랑하시는 자를 징계하시고 그의 받으시는 아들마다 채찍질하
심이니라 (히브리서 12:5-6)
내 아들아 여호와의 징계를 경히 여기지 말라 그 꾸지람을 싫어하지 말라 대저
여호와께서 그 사랑하시는 자를 징계하시기를 마치 아비가 그 기뻐하는 아들을
징계함같이 하시느니라 (잠언 3:11-12)

자녀들에게 훈육할 때 꼭 이 말씀을 기억해야 한다.

인생은 아픔이다.

인생은 순탄하지 않다는 것을 알면서도

우리는 늘 인생은 편해야 한다고 착각 속에서 살아간다.

그래서 아이들은 인생에 아픔이 오면 언제나 놀란다.

자녀가 아픔을 겪지 않도록 해 준다고 해서

아이가 부모에게 존경과 감사를 느끼는 것은 아니다.

아픔을 겪고 나면 참 기쁨이 있다.

성숙이 있다.

부모는 그 기쁨과 환희의 시간을 위해서

사랑하는 자녀에게 아픔을 허락하는 것이다.

한번은 스타 선수가 코치한테 호되게 야단을 맞았다.

그는 벤치에 돌아와 의자를 걷어차면서 투덜거렸다.

"왜 나만 가지고 그래….."

그걸 지켜본 한 후보 선수가 이렇게 말했다.

"야, 그래도 너는 코치한테 야단이라도 맞지. 나한테 소리도 안 질러!

기합을 직사게 받아도 관심 받는 선수가 되고 싶다구!"

아이들은 표현은 다르게 하지만 꾸지람을 원한다.
인도받고 싶어한다.

너희가 참음은 징계를 받기 위함이니라 하나님이 아들과 같이 너희를 대우하시나
니 어찌 아비가 징계하지 않는 아들이 있으리요 징계는 다 받는 것이거늘 너희에
게 없으면 사생자와 참 아들이 아니니라(히브리서 12:7-8).
또 우리 육체의 아버지가 우리를 징계하여도 공경하였거든 하물며 모든 영의 아버
지께 더욱 복종하여 살려 하지 않겠느냐(히브리서 12:9)

하나님이 내리시는 시련을 참아내야 한다.
하나님은 당연히 자녀들에게 하실 일을 하신다.
의사가 마음을 모질게 먹지 않으면 수술할 수 없다.

아이의 손에 쇠 철사가 박혀 있다고 생각해 보라.
대부분의 부모는 그 철사를 빼내지 못할 것이다.
하지만 아이를 위해서라면 살을 찢고 쇠철사를 칼로 도려내야 한다.

훈육은 아이를 괴롭히는 쇠철사 같은 죄를 빼내는 것이다.
그런데 부모는 아픔을 견디지 못해서 훈육을 중도에 포기한다.

"너 늦게 들어오면 저녁 못 먹는다."

아이한테 엄포를 놓았다.

그런데 아이가 정말 늦게 들어와서 냉장고 앞에서 왔다갔다 하면

측은한 마음이 들어서 이렇게 이야기한다.

"이번 한 번만 봐 줄 거야."

아이가 구하지도 않았는데 아이한테 양보한다.

대부분의 부모는 훈육의 아픔을 견디지 못한다.

부모는 훈육의 과정을 끝까지 인내하면서 지켜보아야 한다.

그럴 때 훈육의 열매가 있다.

옛날에는 학교에서 매 맞고 와서 부모님한테 이르면

부모님한테 또 매 맞았다.

그런데 요즘은 달라졌다.

"누가 때렸어? 왜 때렸어? 선생님이 뭐 잘못 아신 거 아냐?"

남편이 훈육할 때 아내가 개입해서 반대하고 나설 때가 있다.

"애한테 왜 그래 그만해!"

잘 생각해 보자.

이때 얻는 것은 무엇이고 잃는 것은 무엇인가.

훈육할 때 상대방의 잘못을 아이들 보는 앞에서 지적하면
더 큰 불만의 씨앗을 아이들에게 심어 줄 뿐이다.

어느 날, 현관문을 열고 들어오신 아버지는 화가 단단히 나 있었다.
"요한이 너, 오늘 옆집 토끼를 잡아서 풀어 줬다며!
옆집 아저씨가 그러는데 노란 옷 입은 애가 그러는 걸 봤대.
옆집 아저씨가 너가 오늘 노란 옷을 입었다며
목사 아들이 왜 그러냐고 하시는데!"
옆집 아저씨는 왜 하필 그런 말을 하셨을까.

아버지는 급기야 혁대로 남동생을 다스렸다.
남동생 요한이는 다 맞을 때까지 눈물 바람으로 항변했다.
"나 정말 안 그랬어요."
다음날 아버지는 요한이한테 사과하셨다.

나중에 안 것이지만 어머니는 알고 계셨다.
요한이가 잘못하지 않았다는 것을.
하지만 어머니는 아버지의 권위를 지켜 주기 위해 기다리셨다.
아버지를 말리지 않았다. 맞도록 두셨다.

나중에야 아버지한테 말씀하신 것이다.
그리고 다음날 아버지가 요한이한테 사과하도록 하신 것이다.

부모도 인간이기에 훈육의 과정에 실수가 있을 수 있다.
선생님들도 실수할 수 있다.
하지만 중요한 것은 하나님의 권위를 배우는 것이다.

가정의 부모, 교회의 목회자, 학교의 선생님은
하나님이 주신 권위이다.
하나님의 권위에 부모가 함부로 자녀의 손을 들어줄 때,
훈육에 대해 감사하는 마음을 잃어버린다.
더 나아가서는 하나님을 경외하는 마음을 잃어버리게 된다.
하나를 얻고 열을 잃는 것이다.

혹시 이들 권위자가 잘못해서 따져야 할 일이 있더라도
아이들이 보는 앞에서 해서는 안 된다.
훈육의 과정은 인내와 공경을 심어 주는 기회이기 때문이다.
이때 오히려 권위에 대해서는 불신을 배운다든지,
권위에 반항하는 걸 배운다든지,

위기에 도피할 수 있다는 걸 배운다면
이것은 결코 돌이킬 수 없는 것이다.

포도나무는 나이가 들면 들수록 가지를 더 깊이 잘라낸다.
우리 하나님은 나이가 들면 들수록 더 깊이 절단하신다.
우리의 깊숙이 있는 죄의 부분을 도려내야 하기 때문이다.
육신의 부모는 극히 짧은 기간 동안 아이들을 훈육할 뿐이다.
부모가 훈육할 수 있는 짧은 기간 동안에
훈육의 과정에 잘 적응해서 결국은 장기적인 훈육을 이해하고
멀리 내다볼 수 있는 아이들로 키워야 한다.
그래서 아이들이 아픔을 감사할 수 있도록 키워야 한다.

진정한 거룩의 과정(성화의 과정)은 평생에 걸쳐 이루어지기 때문이다.

오늘날 우리 기독교 교육의 고민은 바로 지금

이 시대를 살고 있는 우리 그리스도인들의 신앙의 현주소이자,

삶의 가장 극적인 단면이다.

생명을 낳는 그리스도인이라면 한 번쯤은

그리스도인으로 자라나는 것에 대해 고민해 보았을 것이다.

우리 모두는 오랫동안 교육을 받아왔고

어느 순간부터는 가르쳐 왔다.

부모로서, 교사로서, 친구로서,

그리고 무엇보다 한 사람의 그리스도인으로서,

우리는 각자 배우고 가르치며,

또 서로의 관계를 통해서 조금씩 조화를 이루어 가는

열띤 교육의 현장 속에서

살아가고 있음을 부인할 수 없을 것이다.

하지만 아무리 가르침을 받았다고 해도
가르치는 일이란 쉽지 않다.
나는 무엇을 말로 설명하는 것보다,
칠판에 적어 주는 것보다 삶을 고스란히 보여 주는 것이야말로
아이들의 영혼에 깊은 인상을 남긴다는 것을 잘 알고 있다.

그래서 나는 두렵다.
왜냐하면 우리 모두는 다 본인이 의식하든 의식하지 못하든
나쁜 습관들을 가지고 있는 탓이다.
내가 누군가에게 가르칠 때,
그 누군가가 자신도 알지 못하는 사이에 감기에 걸리듯
내 나쁜 습관에 걸리면 어쩌나 하는 걱정 때문이다.
하지만 그러한 미숙함 때문에 가르침을 받고 가르침을 주는
과정이 언제나 흥미진진하고,
과정 자체가 바로 우리의 삶임을 인정할 수밖에 없다.

이 책에는 나를 변화시켰던 여러 가르침의 이야기가 담겨 있다.
또 내가 가르치면서 깨달은 이야기가 담겨 있다.
우리 가족과 우리 학교의 이야기를 통해서 무엇을 가르치려는 것이 아니라
양육의 소중함과 아름다움을 나누고 싶었다.
몇몇을 위한 교육서라기보다 모두의 신앙서가 되기를 간절히 바란다.

기독교 세계관을 다음 세대에 성실히 물려주는
교회와 학교와 가정이 많이 나왔으면 하는 바람이다.
진정한 기독교 학교가 많이 세워졌으면 하는 바람이다.
이 책이 진정한 기독교 교육을 다음 세대에 심어 주는 데
구체적인 힘이 되어 주기를 기대한다.

부모님을 비롯해 나를 양육해 주신 모든 분들께 감사하며
하나님께 모든 영광을 돌린다.

모든 진리는 하나님의 진리임을 믿으며 2006년 늦가을
김요섭

일러스트 그림드림

수원중앙기독초등학교의 은사계발팀 중 하나로,
하나님이 주신 달란트를 계발해서 하나님께 드리는 목적을 갖고 있는 미술팀이다.
미술의 폭과 깊이를 넓히는 훈련과 주어진 재능을 바르게 사용하는 방법을 배우는
미술을 통한 제자훈련 과정이다.

미기 그림드림

6학년_ 곽한나 | 김유진 | 남혜빈 | 박은규 | 박인영 | 안영철 | 이현재 | 정혜원
5학년_ 김다예 | 김정진 | 모다홍 | 이은우 | 장소현 | 전우정 | 한민아 | 허재원
교사_ 유승민 | 임채영 | 조성미